CONT

MW00439636

Serena Dandini

FERITE A MORTE

Collaborazione ai testi e alle ricerche di
Maura Misiti

Rizzoli

ISBN 978-88-17-06561-0

Prima edizione: febbraio 2013

Maura Misiti ha collaborato ai testi e alle ricerche e ha elaborato le schede di documentazione della parte *Ogni riferimento a fatti e persone non è puramente casuale.*

La traduzione delle poesie di Susana Chavez in *Ni una más* è di Valeria Campilongo.

La deposizione di Francesco Lo Presti in *Dark Violet* è tratta dal libro *Se questi sono gli uomini* di Riccardo Iacona, Chiarelettere (2012).

FERITE A MORTE

A Carmela e alla sua famiglia

Dove sono Ella, Kate, Mag, Edith e Lizzie,
la tenera, la semplice, la vociona,
l'orgogliosa, la felice?
Tutte, tutte, dormono sulla collina.

Edgar Lee Masters, *Antologia di Spoon River*

Solo i morti possono garantirci legittimità.
Lasciati a noi stessi siamo tutti bastardi.

Robert Pogue Harrison, *Il dominio dei morti*

Introduzione

Mentre la televisione ha il diavolo della velocità e del consumo immediato, i libri possiedono ancora quei ritmi lenti che aiutano i pensieri e soprattutto i ripensamenti. Ma nel caso di questo libro è stato tutto accelerato da una forte urgenza, quasi una necessità impellente di condividere rabbia e tenerezza, indignazione e mille altri sentimenti tumultuosi che sono scaturiti dall'esperienza di questa strana adunata che è stata e continua a essere *Ferite a morte.*

Tutto nasce dal desiderio di raccontare in un modo diverso le esistenze delle donne vittime di femminicidio: lo so, è una parola che non piace, molti storcono il naso davanti a questo termine. Certo, se ne possono trovare altri più aggraziati o pertinenti, chiamiamolo pure come ci pare ma almeno affrontiamo il dramma per quello che è senza far finta che non esista, attitudine sempre in voga nel nostro Paese che aggiunge oltre al disinteresse un sarcasmo diffuso, come se il fenomeno fosse un'invenzione postfemminista di qualche reduce nostalgica sempre in vena di vittimismo: «Dai muoiono tutti, uomini e donne, dov'è la differenza?». Purtroppo è nei numeri e nella tipologia dei delitti che parlano chiaro e azzerano ogni polemica.

Mi sono chiesta: «E se le vittime potessero parlare?» (che Edgar Lee Masters mi perdoni...). A questo azzardo è ispirata la scrittura di *Ferite a morte*, monologhi che nascono dalla voce diretta delle vittime, donne assassinate proprio in quanto donne, per mano di uomini, dei loro uomini. Ho letto decine di storie vere e ho immaginato un paradiso popolato da queste donne e dalla loro energia vitale. Sono mogli, ex mogli, sorelle, figlie, fidanzate, ex fidanzate che non sono state ai patti, che sono uscite dal solco delle regole assegnate dalla società e questa disubbidienza è stata fatale.

Sono quelli che superficialmente la cronaca nera chiama delitti passionali, frutto di liti in famiglia dove, si sa, è meglio non ficcare il naso. Sono morti annunciate, che tutto il vicinato aveva previsto ma nessuno ha mosso un dito perché ognuno a casa sua fa come gli pare; sono casi giudiziari che vengono liquidati come inevitabili conseguenze di un «improvviso raptus di follia» e invece sono la coerente conclusione di violenze durate a volte un'intera vita; sono sentenze eseguite davanti agli occhi di una società incapace di riconoscere questo dramma antico, una platea che ha perso la forza di indignarsi quando le storie con le protagoniste più giovani e piacenti sono trasformate in telenovelas nei programmi di «approfondimento giornalistico». In tv è sempre pronta una schiera di esperti del settore, una compagnia di giro da camera ardente che commenta ogni dettaglio della scena del delitto, con tanto di rivelazione in esclusiva sui risultati dell'autopsia: una lista ricca di particolari che svelano cosa ha mangiato la vittima la sera prima del fattaccio o che biancheria intima indossava ma soprattutto, sempre presente, la madre di ogni scoop ovvero l'eventuale esistenza di tracce di sperma sul corpo della «poveretta».

Che si tratti di Melania, Chiara o Jara, queste donne sono sempre chiamate per nome, con una familiarità imbarazzante, quasi oscena. E così vengono uccise una seconda volta, sacrificate sull'altare dell'Auditel con la complicità di una schiera di parenti e affini soggiogati dalla lucciola mediatica.

Ma sono anche le donne lapidate senza pietà perché "commettono" adulterio o le ragazzine sgozzate perché osano ribellarsi a un matrimonio combinato, le bambine mai nate uccise solo per colpa del genere a cui appartengono, e la lista potrebbe continuare infinita in un agghiacciante giro del mondo degli orrori.

Proprio per questo mi ero messa in testa di affrontare l'argomento in un modo completamente diverso: partendo dalle protagoniste che non ci sono più e facendole finalmente parlare.

Volevo che queste donne fossero libere, almeno da morte, di

raccontare la loro versione dei fatti, nel tentativo di ridare luce e colore ai loro opachi fantasmi. Desideravo farle rinascere con la libertà della scrittura e la follia del teatro e trasformarle da corpi da vivisezionare in donne vere con sentimenti e risentimenti, ma anche, se è possibile, con l'ironia, l'ingenuità e la forza sbiadite nei necrologi ufficiali.

Ferite a morte vuole dare voce a chi ha parlato poco o è stata poco ascoltata nella sua vita, con la speranza di infondere coraggio a chi può ancora fare in tempo a salvarsi denunciando i suoi persecutori.

Con l'aiuto e la professionalità di Maura Misiti, che ha approfondito l'argomento come ricercatrice al CNR, ho provato a ricostruire il vissuto, il prima, per capire insieme le radici di questa violenza. Come illustrano le schede che completano il libro, i dati sono inequivocabili e inseriscono il nostro Paese a pieno titolo nella classifica degli omicidi contro le donne che si verificano ormai con una cadenza matematica di una vittima ogni due-tre giorni.

E come ha sempre sottolineato Dacia Maraini, che da anni si occupa con ostinazione di questo dramma, il femminicidio in Italia è solo la punta di un iceberg che nasconde una montagna di soprusi e dolore che si chiama violenza domestica. La maggior parte delle vittime non ce la fa a denunciare per paura, per le possibili ripercussioni, per vergogna, perché non sa dove andare e come sostenersi, per non ammettere il fallimento del proprio matrimonio, per preservare i figli che invece non solo sanno e vedono sempre tutto, ma, se non sono allontanati da un contesto violento, tendono a ripercorrere le stesse strade in una reazione a catena senza fine. Nel nostro Paese, dietro le persiane chiuse delle case, si nasconde una sofferenza silenziosa, ma di questi lati oscuri delle nostre famiglie conviene non parlare.

L'idea di *Ferite a morte* è nata anche per questo, ma non avrebbe raggiunto così presto il pubblico se non fosse avvenuto l'ennesimo e atroce delitto che ha creato in tutti noi un corto circuito immediato, un forte desiderio di far conoscere a più persone possibili questa realtà negata e richiamare il governo alle sue responsabilità.

Ma la storia di Carmela Petrucci qui non c'è.

È troppo riconoscibile e inequivocabile. Per rispetto alle famiglie abbiamo sempre cambiato luoghi e nomi, intrecciato casi, incrociato nazionalità, tanto purtroppo in ogni latitudine o cultura il fenomeno si ripresenta con una regolarità impressionante. La storia di Carmela, a cui è dedicato questo libro, non l'abbiamo scritta, non c'è trasfigurazione narrativa che possa colpire le coscienze più della piccola foto di questa diciassettenne che ha fatto scudo con il suo corpo cercando di riparare la sorella dai fendenti del solito pugnale di un ex fidanzato che non si rassegna. Carmela ha sacrificato la sua vita e i suoi sogni, sua sorella è sopravvissuta ma con cicatrici indelebili, e non parlo solo di quelle visibili. *Ferite a morte* è nato anche per Carmela Petrucci e per la grande dignità della sua famiglia, per tutte le donne delle associazioni e dei centri antiviolenza che nel silenzio quasi totale delle istituzioni continuano a lavorare sottotraccia, salvando vite umane e accompagnando pazientemente le vittime verso la normalità. Sono loro che ci hanno chiesto di uscire subito in pubblico per provare a colpire dove tanti discorsi seri a volte non ce la fanno ad arrivare. Ecco perché *Ferite a morte* si è trasformato in un evento teatrale virale che, partito da Palermo, ha continuato il suo viaggio in lungo e in largo per l'Italia, perché in questo campo purtroppo non esiste un Nord o un Sud.

Negli ultimi trent'anni il nostro Paese ha speso contro la violenza alle donne tanti soldi quanti ne sono stati spesi in un anno per la giunta regionale del solo Lazio e, anche se ormai sappiamo che i consiglieri sono molto avidi, è un paragone che grida giustizia.

Sono tante le cose che si potrebbero fare, in altri Paesi sono state fatte e non c'è nessuna giustificazione per continuare a ignorare la gravità della situazione. Basterebbe applicare le proposte della Convenzione NO MORE!, che noi abbiamo sostenuto e continueremo a sostenere finché non diventeranno una realtà.

Ecco perché nelle schede che accompagnano i monologhi abbiamo voluto aggiungere, oltre ai dati anche le leggi e le pratiche virtuose che molti Paesi hanno messo in atto con successo.

Ma se le donne sono vittime predestinate, gli uomini non vanno abbandonati a una cultura che li vuole dominatori, violenti, ossessionati dal possesso. Anzi, andrebbero aiutati a trovare altre strade per gestire la loro rabbia e il loro dolore. Siamo tutti figli di un analfabetismo sentimentale che considera la prevaricazione e la violenza come aspetti possibili della relazione tra un uomo e una donna, un dato di fatto che vede i maschi e le femmine imprigionati in questi ruoli rigidi, legittimati da una società patriarcale. Ma solo se saremo uniti riusciremo a vincere.

Sempre più spesso i delitti avvengono per l'incapacità di elaborare il lutto di una separazione, per la difficoltà di trasformare in dialogo la frustrazione di un fallimento. Le donne hanno imparato a lottare per la loro autonomia economica, cominciano a trovare il coraggio per inventarsi una vita diversa, anche a costo di stare da sole con i figli; gli uomini invece non ce la fanno a lasciarle andare, non reggono l'abbandono che è vissuto come un affronto atavico che colpisce e annienta orgoglio e amor proprio.

Spesso la spinta principale per la maggior parte dei femminicidi è il tentativo di eliminare fisicamente la fonte di questa disperazione. Se pensiamo che in Italia il delitto d'onore è stato abolito solo nel 1981 e da allora molto poco è stato fatto e quel poco male applicato, ecco che questa situazione non ci stupisce più di tanto.

Finché il tema non sarà al primo posto della famosa agenda di qualsiasi nuovo governo, le donne non si fermeranno e si faranno sentire con ogni mezzo. Mi auguro che anche *Ferite a morte* diventi uno di questi.

Serena Dandini
31 gennaio 2013

Il mostro

Avevamo il mostro in casa e non ce ne siamo accorti.

Avevamo il mostro in casa e non ce ne siamo accorti, l'ha detto mia mamma agli inquirenti, avevamo il mostro in casa e non ce ne siamo accorti...

Era lì che fumava vicino al caminetto e non ce ne siamo accorti, avevamo il mostro proprio in casa e non ce ne siamo accorti, guardava la partita e non ce ne siamo accorti.

Ma neanche il mio marito se n'era accorto, dico, lui che aveva proprio il mostro dentro non se n'era accorto, poveraccio, c'aveva sempre da fare, avanti e indietro con il Pandino, anche quando m'ha messo incinta per la terza volta non se n'è accorto. Io sì, è naturale, mi sono venuti subito a noia i broccoli e lì ho capito; inutile buttare soldi per il test, lo so da me, il broccolo è un segnale infallibile, micidiale, cinque volte che sono rimasta incinta me l'ha detto il broccolo. Di figli ne ho solo tre: uno l'ho perso appena nato e l'altro mi è rimasto in pancia sette mesi e non è più uscito. Sono morta prima.

Avevamo il mostro in casa e non ce ne siamo accorti, l'ha detto pure mia sorella, non c'andava d'accordo con il mio marito, non si son piaciuti mai, questione di caratteri o di segni zodiacali, lei è una scorpione, reagisce, una volta che il mio marito l'ha strattonata ha cominciato a strillare come un'aquila. Ma che ti strilli? Ti vuoi far sentire da tutti i vicini? E che vuoi che sia uno spintone? E allora io? Quando mi ha tirato la sedia in testa che avrei dovuto dire? Sono sfoghi così, del momento, si sa, gli uomini hanno queste punte di carattere, hai visto come sono fatti anche fisicamente? Sono un fascio di nervi ma deboli di stomaco, la sedia è volata perché non avevo tolto la cipolla dal sugo, c'aveva ragione lui, non la digerisce e poi sta male... Comunque ha funzionato, perché dopo la botta che ho preso la cipolla non l'ho più messa da nessuna parte.

Avevamo il mostro in casa e non ce ne siamo accorti, ma nessuno proprio se n'era accorto, neanche il brigadiere, m'ha vista il mese scorso in fila alle poste con la faccia viola di pugni e m'ha detto: «Che ti sei fatta, Teresa?». Io per non creare problemi e chiacchiere ho detto che ero caduta dalle scale della cantinetta e lui mi ha guardato e ha sorriso. Poi, come un papà buono, mi ha consigliato di fare pace con il mio marito e di essere più tranquilla, di non farlo arrabbiare... Io ci ho provato a non farlo arrabbiare, ma lui si era incaponito a portare questa donna in casa, una situazione momentanea, ha detto, ma lei si era presa subito la stanza della nostra figlia più grande e si faceva portare il caffè a letto dal piccolo. Io, per carità, mi facevo i fatti miei e pure la biancheria le stiravo alla tipa, così, per farlo contento, per tenerlo buono, ma lui era sempre su di giri, la notte si alzava, girava per la casa, sbatteva le porte, andava da quella e poi dopo un po' tornava a letto e fumava. E io zitta, guardavo la luce della luna e speravo che passasse. Una sera mi ha preso da dietro convinto che dormivo, l'ho fatto fare, anche se non mi piaceva, non volevo svegliare tutta la casa, a volte si fa prima a non dire niente, meglio non reagire e tutto passa, si sa, a un certo punto l'uomo si acquieta, è natura...

Ma la mattina dopo, quando pulivo i broccoli, ho capito. Era successo di nuovo. Lui non voleva altri figli da me e c'aveva ragione, dove lo mettevamo un altro ragazzino? E adesso c'era pure questa signora in casa, è chiaro, c'era meno spazio, insomma questa sua amica in difficoltà che doveva rimanere poco ma già aveva occupato l'armadio nel tinello era sempre lì e girava in sottoveste davanti ai vicini e la casa era quel che era, avevamo il mostro in casa e non ce ne siamo accorti...

Al settimo mese ormai la pancia si vedeva tanto e gliel'ho dovuto dire, ma sembrava tranquillo, siamo andati in gita tutti e tre, una scampagnata con la signora e i panini, e lui ha preso una latta di benzina dal garage.

«Perché prendi la benzina, papà, che la macchina va a diesel?»

«Fatti i fatti tuoi» gli ha detto, ma senza menarlo, di buon umore. No, non era un mostro, sennò mi bruciava viva da subito. E invece per fortuna prima mi ha dato una vangata in testa che mi ha stordita forte e quando mi ha dato fuoco non ho sentito quasi niente. Lo vedi? Non avevamo un mostro in casa, ci pensava a me, anche alla fine… sennò non mi tramortiva prima con la vangata, senza sarebbe stato peggio, avrei sofferto molto di più, è stato un pensiero per me, lo vedi mamma, non avevamo un mostro in casa, era solo un po' nervoso di temperamento.

Il bambino l'avrei chiamato Vito, come il nonno.

Il senso dell'onore

> Ma l'onore, signori miei, l'onore,
> che cos'è l'onore?
> Pietro Germi, *Divorzio all'italiana*

Dai, vieni con me, non avere paura, devi solo raccontare la tua storia, non ti mangia nessuno. Niente, si vergogna, non vuole, è rimasta timida anche dopo il trapasso.

Io invece non lo ero prima e non lo sono ora, guarda che lo devi raccontare tu come sei volata nel paradiso di Allah, mica posso farlo io che sono di Caltanissetta. Tanto per cominciare, diglielo tu che di vergini qui neanche l'ombra, siamo tutte donne con una certa esperienza! E non te la prendere, era solo una battuta… Eppure quando siamo da sole ci fai sempre ridere! È brava lei a raccontare, dai, dicci almeno quella del talebano con la bocca larga…

E va bene, comincio io.

Nome: Carmela

Cognome: Rositano in Mantade

Mantade è il cognome da sposata, sono coniugata Mantade.

Nata a: Caltanissetta il ecc. ecc.

Deceduta a: Caltanissetta il ecc. ecc. per mano del suddetto marito Mantade Totò

Motivazione: delitto d'onore.

Lo sai, lo sai che vuol dire, è come da voi, uguale, tu a Tabriz io a Caltanissetta, io un po' d'anni fa e tu l'altro ieri, io in Italia e tu in Iran, io con la lupara e tu lapidata, embe'?

Sei adultera pure tu, che vuoi fare, sono cose che capitano nella vita, il problema è che se sei donna sono cose che te la tolgono la vita, per sempre.

A Totò gli hanno dato soltanto cinque anni, c'era ancora la legge che dava una mano a questi mariti disonorati, adesso ne ha sposata un'altra, ma la mena solo… per ora.

Io sono una specie di veterana qui, accolgo le nuove arrivate, le metto a loro agio, le divido per settori… Almeno fino a qualche tempo fa, adesso c'è un pienone che stiamo tutte mischiate. Prima ci sistemavano per religione, razza, colore, poi è finita all'arrembaggio, tanto sai come sono fatte le donne, chiacchierano, fanno subito amicizia, infatti ora stanno tutte insieme, persino ebree e palestinesi, serbe e bosniache, gatti e cani, e poi da quando sono arrivate le trans si balla tutte le sere, hanno portato la musica brasiliana e la pace è finita. Signore, dona a loro l'eterno riposo, speravo di riposare almeno trapassata e invece un trenino tutte le sere, queste non smettono mai…

Allora, vuoi raccontare?

Ecco, ne è arrivata un'altra, ormai è un continuo, ne ammazzano una ogni due giorni solo in Italia, fatti un calcolo, non mi fermo più un attimo.

Da dove arriva? Cambogia? Ma dov'è la Cambogia? È qui che è diventata una Cambogia!

Be', io vado, tocca a te ora parlare del tuo amore dagli occhi di gatto...

Occhi di gatto

Amor, ch'a nullo amato amar perdona.
Dante Alighieri, *Divina Commedia*

Lui vendeva stoffe al mercato e aveva gli occhi di gatto, ma io ero già sposata con Mhamed, che aveva quarant'anni più di me. Mhamed l'ho incontrato la prima volta il giorno del nostro matrimonio. Ho pensato: almeno questo vecchio non ha i baffi. Mia cugina è stata più sfortunata, il suo aveva pure la barba.

Mia madre l'hanno sposata a tredici anni, ha fatto tredici figli.

Mia madre mi ha detto: «Segui il tuo destino come una spiga al vento, e vedrai che la vita passa presto come in un soffio...», ma lui aveva gli occhi di gatto e all'improvviso il vento si è fermato, mentre il mio cuore si è svegliato e ha cominciato a battere forte.

Ci siamo innamorati dell'amore. Ogni giovedì al mercato di Tabriz su un letto di damaschi e sete preziose.

Tutte mi chiedono: «Com'è morire sotto una pioggia di pietre?».

Il contrario esatto dell'amore. Il cuore si ferma e diventa tutto buio.

Ma quello che mi ha veramente ferito è stato l'applauso finale di tutti gli uomini del paese. Forse volevano il bis, ma io ero già sepolta, c'erano pure mio padre e mio fratello ad applaudire.

Tutte mi chiedono: «Com'è morire sotto una pioggia di pietre?».

Conviene, i parenti risparmiano per la tomba.

Ma, anche sotto tutte le pietre del deserto di Garmsar, nessuno potrà mai togliermi il mio amore dagli occhi di gatto.

La Scientifica

La verità non sembra mai vera.
Georges Simenon, *Le memorie di Maigret*

Ao', ma quando cazzo me trovate? Ma che davero davero?

La chiamano Scientifica ma questi non sanno neanche fa' due più due. Ah belli, sto nel pozzo dietro casa mia, ma come ve lo devo da di'... è stato lui, è chiaro, nun ce vole Maigret!

'Sto bellimbusto v'ha fregato bene bene cor farzo alibi, ma quanno mai uno va a fasse un massaggio thailandese alle sette de sera? Eddaje, su... quando tra l'altro c'è la cena quasi in tavola, e chi ce crede? E siccome era venerdì c'era pure il pesce fresco del bancone de Nina del mercato e lui ce lo sapeva...

E dai, ma nun la vedete la televisione? Nun ce vonno i RIS de Parma pe' capi' che j'ha dato i sordi alla thailandese, quelle se puzzano de fame e pe' du' lire te fanno certi servizietti che 'na farza testimonianza a paragone è 'na passeggiata de salute...

Ao', me sentite lassù?

Comunque mejo morta che ancora co' lui, te lo giuro sul televisore al plasma che è la cosa più cara che c'avevo. Ecco, questo me secca, che j'è rimasto a lui con tutto il telecomando satellitare che era 'na bellezza, ma tanto decideva sempre lui che programma guarda', tanto valeva che morivo.

Te giuro, mejo morta che 'n'artra domenica sportiva co' l'Illuminata, quella presentatrice piena de luce che sembra la madonna, quella bionda che dice i risultati co' le labbra de rossetto forte e gli orecchini de lampadario, a lui je piace tanto, a me invece me faceva schifo… vedi un po'!

Ao'? Capito? Sto quaggiù, in fondo ar pozzo, dietro casaaaa! Questi nun ce sentono, so' sordi!

E daje, 'n'artra rana che me caca in testa, 'sto pozzo è freddo e umido, so' tre mesi che sto qua drentro e a nessuno j'è venuto il sospetto de da' 'na sbirciatina. Se la so' bevuta, e quello, il furbo, ha fatto pure er piantarello a *Chi l'ha visto*, sur canale tre, dice che so' andata via de casa de botto, 'na mattina s'è svejato e non c'ero più, dice che era strano, che ha subito capito che qualcosa non andava perché non j'avevo lasciato il caffè pronto come ar solito, ma li mortacci suoi…

Se non ve sbrigate, ce ritrovate solo i girini qui.

So' sfinita, so' esaurita, me riesco a stanca' pure da morta.

Ni una más

> Sorella, tu non dormi, no, non dormi:
> forse il tuo cuore sente crescere la rosa
> di ieri, l'ultima rosa di ieri, la nuova rosa.
> Riposa dolcemente, sorella.
>
> Pablo Neruda, *Tina Modotti è morta*

La città di Juárez è una ridente cittadina messicana *que tiene finos restaurantes, atracciones interesantes, y grandes oportunidades para hacer sus compras…*

La città di Juárez si trova a pochi passi dal confine con gli Stati Uniti e *tiene una población de casi dos millones de gente trabajadora*, uomini e donne… Sì, ma le donne meno, sono sempre meno, ogni anno sono meno.

Si nunca has estado en Ciudad Juárez, México, esperamos que desees visitarla un día, ma sbrigati se vuoi vedere ancora delle donne.

En Ciudad Juárez puoi trovare un'ampia *variedad de artículos Mexicanos, incluyendo piel, ropa tradicional, joyería de plata y turquesa, frutas y vegetales exóticos, y mucho más…*

Ma al posto delle ragazze solo croci rosa, una foresta di croci di legno dipinte di rosa, una per ogni donna scomparsa: che vuoi che siano cinquemila donne ammazzate o desaparecidas in quasi vent'anni? *Este es un récord mundial… y lo tiene Ciudad de Juárez!*

Intendiamoci, morta più morta meno, la cifra non è precisa perché molte sono sepolte in qualche parte nel deserto o le hanno dissolte nell'acido, i cadaveri mai ritrovati perché magari sono serviti per l'industria a *luces rojas*, quella dei *vídeos sexuales* che si spingono fino alle estreme conseguenze, oppure le hanno vendute per divertire qualche yankee che può pagare in contanti, in fondo si tratta solo di carne, è una materia prima che qui costa poco, o niente...

A Juárez la vita di una donna povera vale meno di un chilo di patate. Ma questo le agenzie del turismo non lo possono dire perché le autorità non vogliono, è cattiva pubblicità *ante los turistas extranjeros que visitan el país...*

In fondo è solo carne e sangue di donne: un'ecatombe, un genocidio di ragazze, bambine, operaie, casalinghe, studentesse o poetesse come me... Nient'altro.

Sangre mía,
de alba,
de luna partida,
*del silencio.**

* Sangue mio, / di alba, / di luna tagliata a metà, / del silenzio.

Alla fine c'è sempre la famiglia, ma la famiglia è per noi il luogo più pericoloso. Le anziane dicono che è tutta colpa delle fabbriche: quando hanno aperto le fabbriche vicino al confine con gli Stati Uniti anche le donne finalmente hanno cominciato a lavorare. Operaie perfette per le *maquiladoras*, gigantesche catene di montaggio che producono hi-fi per le case dei ricchi. Con le loro mani adolescenti, le ragazze assemblano senza sosta meraviglie tecnologiche di ultima generazione: tv al plasma, smartphone... Toshiba, Philips, Samsung, Sony, Panasonic sono tutti qui a delocalizzare perché il lavoro delle donne vale come la loro vita, meno di un chilo di patate.

Ma per i nostri uomini sono come le puttane, non c'è differenza tra chi vende il proprio lavoro e chi il proprio corpo; le operaie guadagnano, girano da sole in autobus, mantengono la famiglia e le bevute dei loro mariti, è troppo umiliante per i maschi lasciarle in vita. Tanto lo Stato non ha tempo per occuparsene, la polizia nemmeno, ci sono problemi più importanti, è inutile fare giustizia e infatti nessuno è mai condannato.

Mar de mis abismos.
Sangre instante donde nazco adolorida,
Nutrida de mi última presencia. *

* Mare dei miei abissi. / Sangue istante nel quale nasco sofferente, / Nutrita dalla mia ultima presenza.

La più giovane aveva quindici anni, la più vecchia quaranta come Marisela, ho visto il suo corpo inerme posato come un fiore davanti al palazzo di giustizia dove aveva denunciato l'assassino di sua figlia; l'uomo l'hanno scarcerato subito per mancanza di prove e lei così è stata l'ultima del 2010, la numero 446 per la precisione.

«*Ni una mujer más!*» Non una donna in più. Bello slogan, eh? L'ho inventato io.

«*Ni una mujer más!*» ma ancora non sapevo di essere io la prossima. Sono stata la numero uno del 2011.

Quella sera ero uscita per salutare le mie amiche, neanche la borsa mi ero portata. Mi hanno ritrovato cinque giorni dopo in mezzo alla strada, seminuda, la mano sinistra mozzata e la testa avvolta in un sacco di plastica nero.

Ho amato questa mia città fino alla fine, sono rimasta, senza fuggire, ma avvertivo l'odore del sangue, me lo sentivo che sarebbe successo...

Sangre clara y definida,
fértil y semilla,
Sangre incomprensible gira,
Sangre liberación de sí misma,
*Sangre río de mis cantos.**

* Sangue chiaro e nitido, / fertile e seme, / Sangue che si muove incomprensibile, / Sangue liberazione di se stesso, / Sangue fiume dei miei canti.

Mia madre ha fatto sistemare il mio cadavere nella stanza dove scrivevo, la mano sinistra è tornata al suo posto e tra le dita ha intrecciato un rosario. Insieme a me, nella bara, i fogli di questi versi insanguinati.

Sangre del silencio.
[…] *saltando al vacío,*
[…] *Sangre instante donde nazco adolorida,*
*Nutrida de mi última presencia.**

* Sangue del silenzio / […] che salta il vuoto / […] Sangue istante nel quale nasco sofferente / Nutrita dalla mia ultima presenza.

Quote rosa

Ho messo il rossetto rosso
in segno di lutto.
Carmen Consoli, *Mio zio*

È più facile che un cammello passi attraverso la cruna di un ago che una donna manager entri in un consiglio di amministrazione, ma io ce l'ho fatta. Non è stata una passeggiata, sono battaglie che lasciano i segni, ti possono indurire, a volte ti incattiviscono pure. Questa piega amara sulla fronte, per esempio, prima non ce l'avevo, ma che volete, ogni cosa ha il suo prezzo e se hai i soldi per pagarti un po' di botulino si vede molto meno.

Io appartengo alla generazione di donne che ha rinunciato ai figli per la carriera. Non me ne pento. Ho coltivato delle amicizie meravigliose, mica è detto che una donna per realizzarsi deve per forza essere mamma come dice la pubblicità dei pannolini. Poi tanto ci sono gli uomini che ti scaldano il cuore, io addirittura ho sposato un collega. È bello lavorare spalla a spalla, sentirsi complici e uguali, tonnellate di email da smaltire la sera prima di ritrovarsi finalmente a letto, stessi iPad, stessi orari, stesso stress, stessi iPhone o BlackBerry (c'è sempre qualcuno che preferisce il

BlackBerry), stessi viaggi di lavoro, Frecciarossa, wi-fi, stesse vip lounge, stessi stipendi… Ecco, finché sono stati gli stessi è andato tutto bene, io ci ho messo un po' a raggiungerlo, si sa, a pari curriculum noi donne siamo considerate meno spendibili, meno autorevoli, dobbiamo essere tre volte più brave per ottenere lo stesso risultato, ma alla fine ce l'ho fatta.

Il problema è che poi l'ho superato, ho cominciato a guadagnare più di lui. Non l'ho fatto apposta, anzi mi vergognavo anche un po'… Subito non gliel'ho detto, non so perché, ma dentro di me mi sentivo in colpa, come se superarlo economicamente fosse un affronto alla sua virilità, avevo paura di umiliarlo. Ma poi mi sono detta che il mondo era ben cambiato dai tempi di mio padre che non ha fatto mai lavorare la mamma anche se era laureata, per decoro, per decenza, che non si dica che la sua signora era costretta a faticare; a lei invece sarebbe piaciuto tanto, ma non l'ha mai contrariato. Io sì, e così ho fatto outing offrendogli un weekend cinque stelle a Parigi. Da lì sono iniziati i guai; lentamente, sottilmente, un veleno si è infiltrato nel nostro rapporto. Io non ero più così simpatica né tanto intelligente come prima, anzi ogni motivo era buono per assestare un colpetto alla mia autostima che si sa, nelle donne è già traballante di suo. Piano piano ha cominciato a colpirmi, prima in privato poi in pubblico, davanti ad amici e colleghi. Un risentimento sordo, un sarcasmo feroce, una critica impietosa e continua. Non andava mai bene quello che facevo, un match senza esclusione di colpi, anzi un colpo dietro l'altro, fino a quello definitivo, un portacenere di marmo tirato in piena fronte una sera di maggio, appena tornati da un convegno sui tassi di interesse. Ero ancora viva, poteva salvarmi e invece mi guardava con stupore, immobile, io respiravo a fatica, finalmente debole e arrendevole. Mi aveva messo a terra, non voleva farlo ma non aveva più argomenti per spiegarmi la sua inadeguatezza, ero cresciuta troppo per lui, non ce la faceva a starmi al passo, non riusciva più a reggere il confronto... Si sentiva inferiore e non aveva altra scelta che ricorrere alla forza fisica, in quella era ancora superiore a me.

Almeno ha vinto l'ultima partita.

Le edicole di Napoli

Mostra i denti il pescecane
e si vede che li ha
Mackie Messer ha un coltello
ma vedere non lo fa.

Bertolt Brecht, *L'opera da tre soldi*

Si chiamano edicole ma non vendono i giornali, ce ne sono a ogni angolo di strada a Napoli e persino nei cortili dentro ai palazzi: sono dei piccoli altari all'aperto, «templi cristiani e insieme pagani», come li chiama Roberto Saviano, che alla città vuole bene nonostante tutto. Sono luoghi sacri fai-da-te, servono per celebrare i santi protettori e i morti del quartiere senza andare tutti i giorni al cimitero. Ci sono le offerte, le preghiere, i fiori, i ceri, gli ex voto... È sicuro che al morto piace di più rimanere nelle vicinanze di casa, lì dove è vissuto, in compagnia degli amici, insieme ai parenti, ai vicini, ai passanti, con l'odore di fritto dei panzarotti e i ragazzini che gli buttano la palla in faccia sopra alla fotografia. È un po' come se fossero ancora vivi: guardano, sentono, sono rispettati.

È naturale che nell'edicola i morti stanno meglio. Intanto le foto sono più belle che sulla lapide, almeno la mia è veramente uno splendore, modestamente lo scatto me l'ha fatto mia sorella

Titina che è un talento, poi al laboratorio di sviluppo l'hanno ingrandita, è la più grande di tutte la mia foto, e hanno anche rinforzato il rossetto e la linea agli occhi. Poi io ho la cornice in puro ossidal color oro che la pioggia non la sfiora neanche, si nota proprio in mezzo al vicolo, spicca, anzi devo dire che sovrasta pure l'immagine del santo medico, pace all'anima sua, che mi perdoni, ma intanto si fermano tutti a mettere un cero e così pure il santo si guadagna una preghiera in più, che di questi tempi non è poco.

Ti dico solo che l'altare mio è più illuminato di quello di Diego Armando Maradona a piazzetta Nilo, sì, dove c'è pure un capello suo autenticato sotto vetro, tenuto come una reliquia, che poi Diego è ancora vivo mentre io sono morta, anche se si direbbe il contrario per quanto io brillo di luce nella notte... Ma è ancora vivo, sì? Armando Maradona?

Scusate ma è un po' che non frequento il calcio, anzi diciamo che non sono stata mai tifosa veramente, lo facevo più che altro per Tonino che ci moriva dietro alla sua squadra... e adesso chissà come ci sforma che c'ho la foto cchiù bella 'e Maradona.

Il titolo sul giornale invece non era tanto grande: «Ragazza sessantaseienne uccisa da venticinque coltellate»... No, scusate è il contrario: venticinque anni, sessantasei coltellate, mi sbaglio sempre. Due coltellate e mezzo per ogni anno della mia breve vita, solo venti dritte al cuore. Ci vuole tempo per dare tutte quelle coltellate, pensate a quanto è lungo un minuto... Be', ce ne vogliono almeno tre senza fermarsi mai, e lui non si è fermato neanche per riprendere fiato, questa volta aveva paura che non schiattavo. Perché c'aveva già provato l'anno prima, in mezzo a corso Garibaldi: è arrivato di corsa e mi ha dato quattro fendenti al collo ma qualcuno l'ha fermato, sono stata dieci giorni in coma, poi ce l'ho fatta. L'hanno mandato ai domiciliari perché dicevano che era stato un raptus e un raptus non viene due volte, invece hai visto che sorpresa, caro giudice?

Ma io tanto insieme a lui non ci tornavo neanche morta... E lui l'ha capito che non avevo più paura, questi uomini qui se si accorgono che siete diventate forti non lo possono sopportare.

Cadendo a terra ho sfondato la vetrina dell'alimentari di Michele.

Certo, se lo lasciavano in galera era meglio per tutti, anche per Michele.

Transafricana

’Cause we’re moving right out of Babylon,
and we’re going to our father’s land.
Bob Marley, *Africa Unite*

«Se ce l’avete, è perché ve l’ha portato un camion»: così c’è scritto dietro gli enormi tir che trasportano ogni tipo di merce lungo le highway americane.

Anche in Africa ci sono strade chilometriche che attraversano gli Stati, ma lì i camion ti consegnano anche un’altra merce che nessuno vuole: giorno e notte, su e giù per il Paese, i nostri camionisti ci portano a casa l’Aids. Non c’è scampo, mogli e promesse spose sono tutte contagiate, è una catena ininterrotta che parte dal Sudafrica, attraversa lo Zimbabwe e lo Zambia: è la transafricana, ma la chiamano l’autostrada della morte. No, non sono gli incidenti stradali ad alzare la media dei decessi ma questa nuova malattia che non dà scampo.

A ogni fermata per fare benzina c’è una prostituta che accetta un rapporto non protetto: glielo chiedono e loro lo fanno, devono guadagnarsi la giornata e il cliente ha sempre ragione... Una dopo l’altra si ammalano tutte e per guadagnarsi da vivere sono costrette a morire.

Ai nostri uomini non piace usare il preservativo, d'altronde lo ha detto anche il papa quando è venuto quaggiù che non si devono usare questi profilattici. Dio non vuole, e nemmeno mio marito, che in casa nostra è come un dio, no, neanche mio marito le vuole queste protezioni di plastica, e come si deve fare sesso nel nostro letto lo decide lui.

Alla missione predicano l'astinenza, ma gli uomini non ci vanno mai a catechismo perché sono sempre su e giù col camion a lavorare. E che vuoi? Quando stai lontano per un mese o più non puoi aspettare di tornare a casa, la natura ti chiama, ti devi sfogare e la catena si allunga come un rosario infinito. Se anche il vaccino fosse un bicchiere d'acqua noi continueremmo a morire perché qui non arrivano né acqua né medicine e i nostri figli nascono già condannati.

Una ragazza del villaggio mi ha detto che ci sarebbe un modo per proteggerci di nascosto: i dottori volanti hanno portato delle pasticche segrete che possiamo infilarci da sole poco prima del dovere coniugale, ma io ho avuto paura di essere scoperta, mio marito non mi avrebbe mai perdonato e così mi sono ammalata, come tutti...

Ditelo ai dottori volanti, ai missionari, alle donne di città che vogliono aiutarci: qui il sesso appartiene agli uomini, è scritto così da sempre, chi siamo noi per cambiare?

K2

La città non esiste
se non dove un albero
dalle nere chiome scivola.

Anne Sexton, *Notte stellata*

Scegliere la scarpa giusta per correre è una faccenda molto seria. Diffidate di chi insinua che una vale l'altra: dicono che se hai voglia di muoverti non c'è bisogno di fare tanto i perfezionisti, ma evidentemente non sono dei veri appassionati.

Io ho sempre amato correre. Luogo ideale: un parco la mattina presto. Parco ideale: Central Park, ovvero il centro del mondo con tanto di scoiattoli, che vuoi di più dalla vita? L'abbigliamento sportivo può essere stravagante e personalizzato, una mia amica corre con una tuta di pile color orso bruno, è convinta di muoversi meglio ma sulle scarpe anche lei non transige, le migliori per noi sono l'ultimo modello delle Kasper, le K2, quelle che sotto il tallone hanno un nuovo sistema rivoluzionario, così dice la pubblicità, un sistema rivoluzionario di ammortizzatori che grazie a una serie di spazi sottovuoto nella zona tallone scarica gli sforzi e ti sembra di volare. Le indossavo nuove di zecca quella mattina di febbraio, l'erba era gelata e in alcuni tratti in ombra l'asfalto era ricoperto da sottili lastre di ghiaccio, le mie Kasper viola avevano le ali e superavano ogni difficoltà con leggerezza. Dallo Hudson tirava un vento gelato ma io ero coperta bene, pantacollant in fibra, maglia termica, cuffie imbottite con auricolari e una musica calda che scioglieva i pensieri. Se mi avessero chiesto: «Cos'è la libertà per te, Maggie Holmes?», avrei descritto proprio quella gelida mattinata di febbraio. Certo, avere sedici anni aiuta, ma devi anche saper cogliere il momento, fare lo sforzo, allungare lo sguardo e godere l'attimo fuggente, mentre con la coda dell'occhio non devi perdere lo scoiattolo che ti insegue da platano a platano in una impossibile gara che avviene solo nei cartoni animati di Walt Disney o in una giornata perfetta sulla Terra.

Chissà che gli è balzato in testa, o forse mi aspettava da sempre… Dietro i cespugli, nascosto tra gli alberi, ha fatto fuggire i miei scoiattoli che sono stati più veloci di me: mi ha braccato, raggiunto, buttato a terra, bloccato le mani e i polsi, tappato la bocca…

Una parte di me ancora correva tra i viali del West Side, volevo arrivare nei campi dove le fragole maturano anche d'inverno, *Strawberry Fields Forever*, eppure nonostante le scarpe nuove e le ali ai piedi non ce la facevo a muovermi; lui era dappertutto, sopra di me, dentro di me, ho cercato di urlare e scalciare con le mie Kasper K2 ma non c'è stato niente da fare, e alla fine con un'enorme pietra mi ha spaccato la testa. Ho chiuso gli occhi, per sempre. Neanche a Central Park, neanche per una ragazza nata e cresciuta a New York è facile essere libera.

Peccato, era una mattina perfetta.

Le chiavi di casa

Tra morire di sete e bere dell'acqua che si sa avvelenata,
non c'è scelta: si berrà sempre.

Emmanuel Carrère, *Bravura*

Allora, questa è la chiave del cancello, questa del portoncino blindato, no, questa è del garage... Aspetta, da capo: questa è del portoncino...

Se cambio la serratura ha detto che m'ammazza, dice che è anche casa sua, solo perché ci ha abitato, ma io ci stavo in affitto da prima che arrivasse lui. Ma se cambio la serratura ora m'ammazza. La cambio? Non la cambio? E io non l'ho cambiata, così è entrato di notte tranquillo con le sue chiavi e mi ha strangolata mentre dormivo. Il ragazzino non si è accorto di nulla, ha continuato a dormire.

Era bravo con il ragazzino, lo portava ai campi sportivi a vedere le partitelle, è stato quello che mi ha ingannato, se uno è buono con il ragazzino è buono pure con me, pensavo.

Mi sentivo tanto sola, la fabbrica, il ragazzino, mi piaceva vedere un uomo dentro casa la mattina, son belli i maschi in bagno mentre si fanno la barba con quel buon profumo di pulito, per essere pulito era pulito, si cambiava due camicie tutti i giorni. Io non ero una grande stiratrice, lo so, ma lui era un po' fissato, è colpa delle madri che abituano questi maschi come al Grand Hotel, e poi quando escono nel mondo vero non ci si ritrovano più... Se avessi avuto i soldi c'andavo io al Grand Hotel insieme al ragazzino e lasciavo quella maledetta casa, me l'avevano detto al centro antiviolenza: «Cambia la serratura», ma io c'avevo paura che m'ammazzava, l'aveva urlato ai quattro venti: «Se cambia la serratura l'ammazzo!». E io non l'ho cambiata. E infatti è entrato e m'ha ammazzato. Non c'è una logica, chi ci capisce qualcosa è bravo.

Allora, questa è della porta principale, no, del cancelletto...

Entrava e usciva a tutte le ore come gli pareva, accendeva la televisione a tutto volume di notte, mi svegliava il ragazzino, svuotava il frigorifero, si mangiava la spesa di due giorni, era abituato a servirsi a piacimento. Poi veniva in camera da letto, e anche lì si serviva a piacimento. Solo del bagno non aveva le chiavi, lì potevo chiudermi a piangere in santa pace.

Eppure dopo l'ultima discussione sembrava quietato, vedrai che ha capito, ho pensato, non mi ha neanche detto: «Se cambi la serratura t'ammazzo». Allora mi son detta: «Quasi quasi domani la cambio», ma mi ha ucciso prima.

Io non lo volevo offendere, volevo solo lasciarlo, o meglio volevo che lui ci lasciasse in pace, a me e al ragazzino. Ma lui dalla madre non ci voleva tornare, eppure la madre stirava meglio di me, me lo diceva sempre: «Dovresti imparare da mia madre». Non ho fatto in tempo.

Scusate, glielo dite voi alle ragazze del centro antiviolenza che c'avevano ragione? Io non le ho più trovate, dice che hanno dovuto chiudere per via dei tagli, ora al posto loro c'è una banca, ma il mutuo non me l'hanno dato. Peccato, volevo tanto cambiare casa. Ora mi son rimaste solo queste chiavi e non mi ricordo neanche cosa aprono... Questa è del cancello, e questa?

Middle East Wing

> Fly me to the moon
> And let me play among the stars.
> Frank Sinatra, *Fly me to the moon*

«Ladies and gentlemen, this is your captain speaking. We would like to welcome you on board this Middle East Wing flight from Dubai to Kathmandu, Nepal. We are departing from Dubai on time, we are expecting a fairly smooth flight today. Once again, we thank you for choosing to fly with us today and we hope you enjoy your flight.»

I marmi devono luccicare come cristalli, trecento metri quadri di salone si fa più fatica a farli con la ramazza, meglio strofinarli direttamente a mano, in ginocchio sul pavimento, ma il problema di stare accucciati è che c'è sempre qualche componente maschile della famiglia Akbar che ti si butta addosso e prova a fare i suoi comodi. Io gliel'ho detto alla signora che la cosa non era conveniente, ma lei mi ha urlato che era colpa mia, che li provocavo, e mi ha obbligato a fare i servizi dentro a un sacco, una specie di tenda dove ha fatto due buchi solo per gli occhi, però gli uomini di casa ci provavano lo stesso, tanto lo sapevano che là sotto c'ero io. Ma questo avveniva solo la sera o meglio la notte, il mio orario di lavoro va dalle quattro di mattina a mezzanotte, per centocinquanta dollari al mese, che spedisco – spedivo – dritti dritti in Nepal alla mia famiglia. Ho tre figli e uno va all'università, mio marito non trova lavoro e li mantengo tutti io, sono collaboratrice domestica negli Emirati... Arabi, s'intende.

«The estimated time of flight is 9 hours... if you look out of your left window, you can see the biggest skyscraper in the world: the Dubai center...»

La parola Dubai in arabo vuol dire «strisciare come una lucertola» e così facciamo noi, strisciamo contro i muri, cerchiamo di diventare trasparenti, siamo un esercito, migliaia di donne nepalesi forti e fiere che volano low cost verso grattacieli flessuosi come ali di uccello: ci aspettano attici e superattici da lucidare a dovere per le famiglie dei petrolieri che non vogliono un granello di polvere sulla loro ricchezza.

Mio figlio studia economia e mi ha spiegato che noi donne nepalesi con i soldi che mandiamo a casa sosteniamo un quarto delle entrate totali dello Stato, il Nepal è molto povero ma senza di noi starebbe proprio sotto terra. Ora sotto terra ci vado io, perché dopo un anno e mezzo non ce l'ho fatta più, mi sono arresa, come Vilma, Vicky e Chandra, ci chiamano le donne globali, le ancelle della globalizzazione, ma non tutte ce la fanno a reggere questo nuovo lavoro globale.

«Cabin Crew, please take your seats for landing. The weather at our destination is currently a temperature of 21 degrees, with serene sky.»

Io ho resistito, ho resistito finché ho potuto, ma era troppo dura. Volevo tornare a casa, e allora il padrone per punizione mi ha tolto il passaporto e poi anche lo stipendio, per domarmi, ha detto, così ci ripensavo a fare tanto la schizzinosa. Ma io non gliela davo vinta, anche se ero preoccupata per le rate dell'università. Ho provato a scappare, mi hanno ripresa e riempita di botte.

Molte di noi non possono neanche uscire di casa nel giorno libero, i padroni hanno paura che incontriamo quelle già organizzate che ci mettono strane idee in testa, pensate, vanno in giro a raccontare che il nostro non è un lavoro, ma una vera e propria schiavitù.

Quella mattina il lampadario di cristallo era più bello del solito, luccicava al centro del salotto pieno di raggi dorati. In piedi in cima alla scala con i cristalli tra le mani mi sembrava di stare sulla Luna, con la sciarpa di lana delle mie montagne dell'Annapurna lucidavo ogni goccia di vetro e mi specchiavo: ho visto riflessa una faccia triste che non era più la mia. Non so come è successo, ma con la mia sciarpa di lana dell'Annapurna mi sono impiccata al lampadario, adesso finalmente anch'io sono un raggio di luce dorata.

«Ladies and gentlemen we are about to begin our descent to Tribhuvan International Airport in Kathmandu.»

Mio figlio che studia economia dopo laureato dovrà risolvere il problema: un quarto del Pil è pari a un terzo delle donne che non ritorneranno mai più nelle valli del Nepal, no scusate ritornano, ritornano, come me adesso, con lo stesso aereo dell'andata, Middle East Wing, ma dentro a una bara di faggio, legno da poco per non gravare sulle spese visto che quest'ultimo biglietto aereo è tutto a carico della mia famiglia. Non mi do pace, chi pagherà adesso le rate dell'università?

Luna di miele

Donne ed elefanti
non dimenticano mai.

Dorothy Parker,
Ballata di uno sfortunato mammifero

C'è un errore sul modulo, qui c'è scritto: «Deceduta il 3-6-2009, sul cadavere riscontrate evidenti tracce ecc. ecc. Morte dovuta a numero 8 pugnalate ecc. e cc. Il colpo mortale inferto nella regione ecc. ecc.». Non è così! Ditelo al criminologo, l'indagine è tutta da rifare! Che m'importa che l'ha detto Bruno Vespa... non è così, lo saprò io o no?

«Ora del decesso 14,30» Nooo, non ci siamo, io sono morta prima, molto prima, per l'esattezza sei anni e un mese prima, praticamente subito dopo il matrimonio, proprio durante il viaggio di nozze.

Eravamo bellissimi, Capri era un sogno, 30 aprile 2003, ecco, ricordo perfettamente, per la precisione erano le ventidue e trenta, per gli orari sono infallibile, tra l'altro indossavo quel nuovo orologetto tipo Bulgari, ma imitato benissimo, che Piero mi aveva regalato prima del matrimonio e allora sai com'è, quando hai una cosa nuova la guardi in continuazione e infatti lo stavo proprio rimirando con il suo bel quadrante puntinato di brillantini, non brillantini veri, però Swarovski sì, erano Swarovski di sicuro, tutti intorno al quadrante ma anche piccoli piccoli sulle lancette, dei puntini luminosi come stelline che stavo fissando quando è arrivato il primo ceffone.

«Stai attenta a come ti muovi, che tu sei mia. Hai capito? Mia e di nessun altro!»

«Ma di chi amore mio, che dici? Chi altro?»

«Ho visto come hai guardato il portiere dell'albergo...» E giù un altro ceffone.

«Ci hai fatto un pensierino, vero? Magari mentre io dormivo voi ve la spassavate, eh? Ho visto come lo guardavi!»

«Ma che dici? Io neanche mi ricordo che c'era un portiere...»

Al terzo ceffone mi è cominciato a colare qualcosa di caldo dal naso, ho pensato che vergogna il moccio proprio la prima notte di nozze e invece era sangue. L'ho capito dalla goccia che è caduta sulla camicia da notte di Laura Biagiotti che le amiche mi avevano regalato la sera dell'addio al nubilato: un completo con vestaglia abbinata e una fila di brillantini (forse anche quelli Swarovski) tutto intorno alla scollatura, lo sanno tutti che a me piacciono i brillantini...

«Hai capito questa parola? Ora sei una cosa mia.»

«Ma certo che sono tua, ti ho sposato per questo amore mio.»

Come andrà via il sangue dalla seta bianca? Mi sa che non è

proprio seta-seta, ci sarà di sicuro una percentuale di sintetico per dare questa bella lucidità e poi c'è scritto che non si deve stirare, quindi...

Al quarto ceffone, che era quasi un pugno, sono caduta a terra, credo pure di essere svenuta per qualche minuto, non me l'aspettavo, e sono rimasta lì sul pavimento senza fiato.

«Amore mio credimi, io amo solo te, amerò solo te, non ti darò motivo di dubitare, se vuoi usciamo sempre e solo insieme noi due, tanto che ci vado a fare da sola in giro, hai ragione, senza te non mi diverto, ti amo stella mia, e se vuoi lascio pure il lavoro, tanto era un part time giusto per avere un po' di soldini miei, hai ragione che ci faccio? Se ho bisogno chiedo a te, e poi che mi serve? Hai ragione, è inutile questo debole per le borsette, a chi devo piacere, chi mi deve vedere? Ero troppo vanitosa prima di sposarti, ora ho capito, anima mia, quanto mi vuoi bene, mi stai aiutando a migliorare, ma da mia madre almeno la domenica ci posso andare? Magari mentre vedi la partita, ma se non vuoi no, verrà lei... qualche volta certo, anche se ultimamente non sta bene, la vedo preoccupata, affari suoi, noi abbiamo la nostra famiglia, la nostra famiglia siamo io e te e io sono tutta per te, io sono tua...»

Quando è tornato dal bar del piano terra sapeva di whisky, o forse era amaro Averna, sentivo poco gli odori perché mi si era un po' gonfiato il naso anche se, lavandolo con l'acqua fredda, il sangue rappreso era andato via. Sulla camicia da notte invece era rimasta una macchia proprio sul davanti, per quanto ho strofinato non c'è stato verso, sangue e vino rosso sono micidiali, ma per fortuna ne avevo un'altra, io su queste cose sono previdente, non mi cogli in fallo, doppio di tutto...

«Ripeti, ripeti, o mia o di nessun altro.»

Quando è arrivato a letto, mi ha carezzato i capelli e la ferita e abbiamo fatto l'amore... abbiamo, l'ha fatto lui, perché io ero già morta, stecchita. Ecco perché, quando sei anni dopo mi ha ucciso veramente con il coltello del pane, io non c'ero già più da tanto tempo...

«O mia o di nessun altro!»

Tanto la vera essenza di me non c'era più, ero diventata una cosa sua e una cosa non può morire perché una cosa è inanimata.

Per la cronaca, quella macchia poi non è più andata via neanche con la candeggina.

Cow pills

Sweet dreams are made of this
Who am I to disagree?
Eurythmics, *Sweet Dreams (Are Made of This)*

Sono rosa e sembrano caramelle, invece sono pillole per le mucche, servono per far ingrassare il bestiame ma le danno anche a noi bambine per crescere in fretta e mettere su un po' di carne, così alzano i prezzi e ci vendono meglio. Non proprio vendere, più che altro ci affittano per una mezz'ora alla volta, c'è pure chi fa prima, dipende dagli uomini, sono tutti grandi, anche vecchi con la barba come mio nonno che non c'è più.

Certi si sbrigano, altri sospirano, qualcuno parla in una lingua sconosciuta, molti in inglese.

Io un po' d'inglese l'ho imparato quando andavo ancora a scuola, prima che la mia famiglia mi cedesse perché era rovinata dai debiti.

«*Nice girl come here…*» Basta chiudere gli occhi e pensare alla grande ruota che gira nel luna park di Dacca, dove hanno promesso di portarmi… Ma solo se sarai brava, senza fare storie né capricci, una pillola al giorno e ti crescono le tette in una settimana, ti senti tutta gonfia ma agli uomini grandi piace così, ti tastano come un vitello e se trovano ciccia da prendere in mano pagano di più.

Non tutte sono fortunate come Shamila che invece ha trovato un fidanzato che l'ha portata via lontano, perché le pillole a lungo andare fanno anche male, ma se non le prendi stai ancora peggio perché ci sei abituata e ti fanno passare i dolori. Non ci si può ammalare, è un gran peccato se ti succede perché ti scartano e non lavori più, poi finisci per strada, neanche al bordello dei poveri di Faridpur ti prendono più, se non hai un bell'aspetto non vali niente e diventi solo carne da macello, proprio come le mucche.

Mi hanno addormentato con un'iniezione. Ho sognato la ruota di Dacca tutta illuminata, mentre mi portavano via fegato e reni. Poi per fortuna mi hanno lasciato morire in pace. Finalmente non servivo più a nulla.

Le mie Chanel

«Vedi? È così che si muore...»
Ultime parole di Coco Chanel alla sua cameriera

Scusate, è wi-fi questo posto? Non ho neanche una tacca, che strazio, ma dove sono capitata?

Allora, chiariamo subito, ci dev'essere un equivoco, un fraintendimento, come si dice un qui pro quo, l'ho già detto alla direzione, controllate meglio le carte, c'è chiaramente un errore, è lampante che io non ho niente a che vedere con questo esercito di poveracce, non per razzismo, per carità, io la famiglia cingalese che lavorava da me l'ho sempre trattata da dio, avevano persino il frigo bar nella stanzetta, anche per non sentire l'odore di quei loro cibi tipici che si attaccano dappertutto e non ti mollano più... Insomma vorrei uscire da questo girone, come li chiamate voi? Settori? Si vede benissimo che io non c'entro niente!

Sì, è vero, sono morta per mano di mio marito, no anzi, intanto non è stato lui materialmente ma ha assoldato dei killer, vuoi mettere? Ben due e scusate se è poco di questi tempi, di quelli professionisti veri che si vedono solo nei film americani, non avrebbe mai permesso che qualche cafone della 'ndrangheta al sapor di 'nduja si occupasse del lavoretto. Almeno l'ultima immagine che mi è rimasta stampata sulla cornea è stata quella di due uomini massicci e palestrati con doppiopetto blu, vuoi mettere? No, carina, non è lo stesso, intanto io son rimasta integra, bella, elegante, trucco leggero, capelli a posto, senza una macchia di sangue... mi hanno strangolato con un foulard di seta di Hermès e hanno avuto l'accortezza di lasciarmelo sul collo a coprire segni e rughe varie. Cadendo non ho perso neanche le Chanel tacco sei, ero perfetta.

Non so che mi era preso, volevo lasciarlo, ma così, forse non dicevo sul serio, era un'ideuzza, un capriccio... Lo so che si poteva andare avanti in eterno, ognuno faceva la sua vita, aveva le sue abitudini, camere da letto separate, tanto che ho pensato che uscendo piano piano, alla chetichella, dalla sua esistenza non se ne sarebbe neanche accorto. In fondo non mi ha mai amato veramente. Gli piacevo perché ero decorativa, stavo bene su tutto, dallo yacht al salotto in pelle bianca, non stonavo mai e impreziosivo l'ambiente. Non ho mai sbagliato un vestito o una pettinatura, mai *overdressed* o *underdressed*, dove mi appoggiava facevo la mia porca figura. Non so che mi è preso, chissà che volevo dimostrare... Me l'aveva sempre detto che ero una cretina, lo diceva anche mio padre, ma mio marito era più affettuoso, mi chiamava la sua cretinetta: «Dove vuoi andare cretinetta? Stai buona, vai dal parrucchiere, fatti le unghie e non pensarci, sei la mia bella statuina, la mia natura morta preferita, non darmi pensieri che io ne ho già tanti con l'impresa, le banche, i creditori...». Lui è un manager, mica un poveraccio da Cavalleria rusticana.

Volevo il divorzio, è allora che l'avvocato gli ha consigliato di farmi fuori, gli costava meno, anche se i killer non li poteva scaricare dal 740.

Che vuol dire che alla fine mi ha fatto secca come tutte voi? C'è morta e morta, e poi io forse me lo sono meritato, in fondo sono sempre stata una cretinetta, me lo diceva pure papà, anche se a me questo cretinetta non mi è mai andato giù, ma dove potevo andare? Che volevo dimostrare?

Allora mi spostate o che? Guardate che qui io non posso rimanerci un minuto di più!

Se solo prendesse questo telefono saprei io chi chiamare, ma pure il cellulare ormai è più morto di me...

Bambole rotte

> Devi aver paura degli uomini,
> non dei mostri.
>
> Niccolò Ammaniti, *Io non ho paura*

Mi sono sposata tardi, a ventinove anni. Già mi chiamavano ridacchiando «il dolce di Natale», quello che, dopo il 25 dicembre, nessuno vuole più. Le ragazze come me sono dolcetti andati a male, qualcosa che bisogna sbrigarsi a buttare... Io poi ero anche considerata una parassita, dicono così nel mio Paese quando alla mia età si vive ancora a casa dei genitori, e anche se avevo studiato e trovato un bel lavoro, per loro ero comunque «una single parassita», una che si teneva tutti i suoi soldi per sé. Ti dico che non me ne importava proprio niente, lo so, guadagnavo solo la metà dei miei colleghi maschi come tutte le donne nel mio Paese, ma ero comunque orgogliosa del mio mezzo stipendio.

Tanto se avessi scelto di fare la casalinga non mi sarebbe andata meglio, le donne di casa qui le chiamano «tre pasti e un pisolino», sei comunque una lavativa, anche se ti ammazzi di fatica tutto il giorno per i figli e il tuo *shujin*... ah sì, scusate, *shujin* vuol dire signore, da noi per tradizione il marito si chiama così, no, non è che si chiama... è proprio così, non è un soprannome tanto per dire, l'uomo in casa è un vero imperatore e bisogna saperlo onorare e servire. Dimenticavo, non vi ho ancora detto qual è il mio Paese... ma è il Giappone naturalmente: la grande potenza, l'impero che ha creato i marchi di auto e di hi-fi più conosciuti dell'universo, l'invincibile forza industriale che produce senza sosta tecnologia all'avanguardia proiettata nel futuro... la tecnologia proiettata nel futuro, ma per noi ragazze c'è ancora il passato. Siamo tenute a bada, legate con un filo sottile ma indissolubile alle nostre tradizioni millenarie, anche se le femministe adesso si stanno battendo per qualche diritto in più come quello di conservare il nostro nome dopo sposate. Sì lo so, è un po' poco, ma è già qualcosa, a me sarebbe piaciuto tanto tenerlo il mio nome, ma non c'è stato verso, lui aveva studiato in America e lo vedevo diverso dagli altri ma ha voluto per forza che mi chiamassi come lui, un bel timbro per sottolineare un possesso.

E pensare che all'inizio mi sembrava proprio l'uomo giusto per me: tutti i parametri del marito ideale erano positivi, il titolo di studio, la posizione della famiglia, i responsi dell'astrologia e della numerologia cinese. Ero stata molto fortunata e poi quando un dolcetto è scaduto meglio sbrigarsi...

E lui era così speciale e pieno di attenzioni, intanto era molto più romantico della media dei maschi giapponesi, certo non arrivava a dirmi ti amo, qui gli uomini si vergognano di dimostrarsi troppo sdolcinati, è un segno di debolezza e di mancanza di stile. Non ci credete? Be', sappiate che nella nostra lingua esistono più parole per dire riso che per dire amore, devo aggiungere altro?

I nostri problemi sono cominciati subito: mi chiedeva continuamente di lasciare il lavoro, di solito le mogli lo fanno tutte dopo il matrimonio, negli uffici trovi solo le vedove o quelle abbandonate... D'altronde è difficile reggere i ritmi imposti dal tuo *shujin*, la cena deve essere pronta esattamente appena torna dal lavoro e la casa perfettamente pulita, ma devi pure aspettarlo con la birra fresca appena esce dal bagno e il panno caldo per pulirgli il viso e le mani. Lavorando tutto il giorno io facevo le acrobazie per essere all'altezza... Dopo un mese mi sono dovuta licenziare.

Ma nonostante gli sforzi non c'era nulla che andasse bene, e ogni volta era un pugno o uno schiaffo. Parlavo a voce troppo bassa? Non è femminile! Un bel calcio. Troppo alta? Che gridi, sei a casa, non in un call center! E scattava la punizione: chiusa in bagno per tutta la notte. Mi puniva. Continuamente. A lui piacevano le punizioni e anche degli strani film, ne aveva una collezione enorme e mi costringeva a vederli tutte le sere, io non volevo, mi turbavano, anzi mi spaventavano proprio. Sono quei video con le ragazze legate nei letti d'ospedale, con fasce, garze, gessi. Le bambole rotte le chiamano, le *Kegadoru*. Vivono schiave dei medici e degli infermieri che le abusano in continuazione, le violentano, insomma gliene fanno passare di tutti i colori e alla fine queste poveracce muoiono. Molti uomini si eccitano così, anche mio marito. Questi video sono molto di moda e le ragazze si fasciano dalla testa ai piedi per compiacere i loro fidanzati, una cosa veramente macabra ma ho dovuto farlo anche io, per lui, mi chiamava la sua bambola rotta e mi costringeva a fare l'amore così, piena di bende dappertutto.

Non era un bel gioco. E per fortuna è durato poco. Mi ha strangolato con una benda troppo stretta al collo, quando sono arrivata in ospedale ero così fasciata che pensavano venissi da un altro reparto.

Per fortuna proprio appena sono morta è passata una nuova legge sulla sepoltura, prima le mogli erano costrette a farsi seppellire nella tomba di famiglia dei loro mariti, insieme a suoceri e cognati, ora finalmente nella parte nuova del cimitero di Aoyama accettano anche tombe di donne sole, e almeno ho evitato la tortura di riposare in eterno accanto a sua madre... Ora finalmente sono una single con una bella lapide personale che porta il mio nome da eterna ragazza, Tomoko, che nella nostra lingua vuol dire «figlia della saggezza».

You&Me

Il senso del possesso che fu pre-alessandrino.
Franco Battiato, *Sentimiento nuevo*

You&Me: l'abbonamento ideale per chi non può fare a meno di mandarti più di cento sms al giorno, tremila in un mese, la metà gratis... e lui ne mandava anche di più, non badava a spese il mio tesoro.

Buongiorno zuccherino, sei nel mio cuore :-)

Baci e baci e ancora baci, mi stai pensando? ♥

Le amiche me lo invidiavano, il mio nuovo fidanzato. Sempre attento, premuroso, non si perdeva una parola, voleva sapere tutto di me, dei miei amici, della famiglia, del lavoro, i cugini, i colleghi... Faceva regali, orsetti, gattini, piantine, ciondoli, non sapevo più dove metterli. Si ricordava compleanni, onomastici, anniversari, mi accompagnava ovunque, sempre e comunque. Poi ho cominciato a staccare il telefono per qualche ora...

Non riesco a vivere senza te. Devo vederti. Tesoro cmq rispondimi, ti prego :-(

Passerotto, scusami dai, lo sai ke ti amo, fatti sentire, mi fai impazzire…

La mia vita era cambiata, non riuscivo a stare un attimo da sola, o meglio senza di lui. Dopo un anno ero esausta. L'ho lasciato. Per respirare, per pensare, per leggere, per andare al cesso, per annoiarmi.

Dai cucciola, non può finire così. Dove sei? Xké mi eviti? Mi rispondi? Rispondi, cazzo!

Se l'è presa, è diventato un altro, aggressivo, violento, mi aspettava sotto casa, al lavoro, dalle amiche, al cinema, scopriva sempre dove andavo. Voleva tornare insieme a tutti i costi, ma a me ormai faceva paura.

Amore, ti prego, te lo prometto, sono cambiato, torna da me… se no succede qualcosa di brutto…

Ma perché non rispondi, ti vengo a prendere, sai? Chi è quello? Io ti vedo, dovunque tu sia. Perché ti sei messa quel vestito, troia, te l'ho regalato io!

Pensi di fare la furba cambiando la scheda del telefonino? Allora ancora non mi conosci. Non mi sfuggi, stronza, che ti credi…

Mi caricava d'ansia dalla mattina appena sveglia, ho ricominciato a fumare.

Con chi eri al cinema? Puttana! Io m'ammazzo se non ti posso avere, ma prima ammazzo te.

Volevo andare dai carabinieri…

Prova a denunciarmi e vedi che ti succede.

Poi però tornava tenero…

Tesoro, dove ho sbagliato, dimmelo, voglio rimediare. Ricominciamo, ti prego, eravamo felici, ti ricordi? Perché sei cambiata? Che t'hanno fatto passerottino, chi hai incontrato? Ma non hai capito che sei solo mia?

È proprio questo che non voglio…

Sembravi diversa, invece sei una troia come tutte le altre.

Sto male, male, male. Qualcuno deve pagare per questo. Tu devi soffrire almeno quanto me.

Le minacce. Sempre più fitte, pressanti. Io evitavo le strade conosciute, ho cambiato quattro schede del telefonino, la macchina, la casa, ma mi ritrovava sempre, l'assedio si stringeva. Non volevo denunciarlo, per colpa mia stava già tanto male, poveraccio…

Ti prego incontriamoci almeno un'ultima volta, voglio solo parlare, te lo giuro, poi ti lascio stare per sempre!

Devo vederti, ti voglio chiedere scusa, spiegarmi, poi sparisco dalla tua vita...

Come negargli un semplice appuntamento?
Ho ceduto.

Sono felice che hai accettato di vedermi. Grazie amore, non te ne pentirai. Alle 5 alla rotonda.

Ho sentito uno sparo. E poi buio.

Angry Brides

Non sono un'ombra,
anche se un'ombra
si diparte da me.
Sono una moglie.
Sylvia Plath, *Tre donne*

È stato tutto per colpa della motocicletta, sì, certo, è per colpa di quell'ammasso di ferraglia rossa se mi ritrovo qui, non solo morta ma pure sfigurata dal fuoco. Per fortuna dove siamo ora, in questa specie di aldilà al femminile, anche se siamo ferite a morte, le ferite scompaiono, sarà una ricompensa per quel che abbiamo dovuto passare da vive, fatto sta che si torna tutte lisce come culetti di bambino, qualche vantaggio noi donne ce l'abbiamo, almeno da decedute. Era meglio avercelo prima però, io poi son stata particolarmente sfortunata...

Se solo mio fratello Harshad non avesse portato a casa quella motocicletta fiammante! Se l'era comprata a rate, appena assunto come tecnico informatico di secondo livello al Jaipur Computer Center, ci avrebbe messo quasi dieci anni per pagarla tutta, e con gli interessi alla fine gli sarebbe costata quasi come una casa. Ma non ha sentito ragioni, tanto lui di spese non ne ha, mangia beve e dorme ancora in casa con noi, anzi con loro, perché io un anno fa ho trovato marito, no precisamente me l'hanno trovato i miei genitori: siamo tre sorelle, tre femmine, e caro gli costiamo ai miei, moltiplica una dote per tre e capisci la disperazione in casa mia.

E poi ora con questo Pil che cresce all'impazzata hanno tutti la febbre dei consumi qui in India, ai futuri suoceri e al futuro marito non gli basta più un mucchietto di gioielli falsi e qualche metro di sari per accettare una nuora, adesso vogliono una dote ricca. Sono diventati tutti avidi, ora ci devi aggiungere anche la radio, la televisione e il ventilatore, meglio ancora il condizionatore elettrico che sputa aria fredda nelle giornate asfissianti prima dei monsoni. Purtroppo la sera degli accordi tutta la famiglia del mio promesso sposo è venuta a casa nostra e ha visto la moto di mio fratello. Non hanno voluto sentire ragioni e i miei genitori pur di chiudere l'affare e liberarsi almeno di una figlia gli hanno concesso anche la moto. Mai pensavano che, alla notizia, quel matto di Harshad sarebbe scappato di casa come un fulmine a tutta velocità sul suo adorato bolide.

Dopo un mese dal matrimonio la moto ancora non arrivava e le richieste si sono fatte sempre più pressanti. I miei suoceri mi torturavano tutti i giorni: «E quando torna? Quando riporta la moto? È roba nostra, lo denunciamo per furto…». Mio padre ha pure provato a portarne un'altra, sempre rossa, ma un vecchio modello russo che a malapena si metteva in moto con la rincorsa, ci è mancato poco che i cognati lo riempissero di botte.

Mio marito smaniava e tutta la sua famiglia mi trattava come un animale, dormivo per terra in cucina, mi prendevano a calci quando passavano, avevo tradito le loro aspettative, non valevo più niente ai loro occhi.

Nel mio Paese la dote è una cosa seria, molti uomini si sposano solo per quella, oltre che per avere una schiava dentro casa, s'intende.

Pensate, ogni quattro ore una sposa indiana viene uccisa dalla famiglia del marito per non aver pagato la dote pattuita, più di ottomila omicidi di giovani donne all'anno. Ma con una giustizia compiacente sono tutti archiviati come incidenti domestici. Ormai i giornali neanche ne parlano, non fanno più notizia, la storia è risaputa: stranamente queste giovani mogli vengono sempre trovate mezze carbonizzate vicino ai fornelli della cucina, colpa delle stufe difettose, ottomila spose maldestre che ogni anno casualmente si cospargono di cherosene e prendono fuoco. Forse i loro mariti distratti buttano per sbaglio un fiammifero acceso proprio lì, volevano solo fumarsi una sigaretta dopo cena, e poi all'improvviso è successo quel che è successo...

E sono pronti per un nuovo accordo matrimoniale che si augurano più fruttuoso. Magari stavolta non metteranno in lista solo una moto ma anche un bel casco nuovo e un giubbetto di pelle come quelli che indossano i duri nei film di Bollywood.

Un vecchio detto indiano recita: «La morte di una donna dà

al marito la possibilità di accaparrarsi una seconda dote. La morte di un bufalo, invece, è un disastro economico per l'intera famiglia».

Nella prossima vita, se posso, vorrei reincarnarmi in bufalo.

’Na sera ’e maggio

Quanno se dice: «Sì!»
tienelo a mente...
Nun s’ha da fa’ murì’
nu core amante...
Tu mme diciste: «Sì!» ’na sera ’e maggio...
e mo tiene ’o curaggio ’e mme lassa’.

Roberto Murolo, *’Na sera ’e maggio*

Di buono il signor Antonio mi ha insegnato l’opera lirica e tutte le canzoni di Roberto Murolo.

Scusate il mio napoletano ma non è facile per un’ucraina dire ’ncoppa, pummarola, mammeta... bucchinara invece l’ho imparato subito.

Mia cugina abitava a Napoli già da un anno, era badante di una vecchia piccolina che le dava poco lavoro, voleva che la raggiungessi e mi ha trovato un posto. Me l’ha mandato a dire dall’autista del pulmino che fa dall’Italia a Kiev, insieme a un biglietto già pagato.

A me dispiaceva lasciare le bambine con la nonna, ma il lavoro è lavoro, se non c’è devi andargli incontro in capo al mondo, specialmente dopo che mio marito era scappato chissà dove. Quando ho visto il signor Antonio per la prima volta, ho pensato che ero fortunata: elegante, gentile, una casa grande, le finestre sul mare, e anche se molto anziano, sembrava sano come ’nu pisce. Il figlio mi spiega che il vecchio ha bisogno di qualcuno che gli faccia da mangiare, gli prepari i vestiti completi di cravatta ogni mattina perché lui non ha mai saputo dove sono le mutande o le posate... la moglie pensava a tutte cose. Soprattutto, dice che ha bisogno di compagnia, non sa stare da solo, e che lui e la sua famiglia non possono pensare al padre, faticano tutta 'a jurnata e il signor Antonio è pure 'nu poco capriccioso come 'na creatura...

"E che sarà?" ho pensato io, è normale, i vecchi tornano bambini, anche mia madre fa le storie quando non le faccio la minestra di verza, bisogna un po' viziarli gli anziani, lo so...

Allora il figlio storcendo la bocca mi dice: «Papà tiene solo 'nu vizietto, un'unica condizione irrinunciabile per la sua badante: un pompino a settimana. Uno solo, ma regolare, il sabato pomeriggio».

La sua badante, cioè io: un pompino da contratto. Uno solo però a settimana.

Ho pensato alle mie bambine e ho accettato.

Il figlio mi ha abbracciato, rosso come 'nu ravanello.

Ma poi col tempo le cose si sono messe male, che saccio, il figlio quando veniva a trovare il padre era nervoso, girava gli occhi sempre in cerca di qualcosa, mi guardava strano, una volta ha riconosciuto le scarpe della signora che il vecchio mi aveva regalato e ha dato di matto. Io manco le volevo, mi stavano strette, ma per fargli piacere me le mettevo, comandava lui.

A parte quel capriccetto il signor Antonio era una brava persona, gli ho chiesto di far venire le bambine in Italia e lui ha accettato, ma a quel punto il figlio non c'ha visto più.

La gelosia. La paura di perdere la casa. Forse il caldo, o la puzza che faceva impazzire la città...

Il mio corpo è stato scoperto da un militare, intorno alle sei del mattino. Sono stata uccisa a calci e pugni. Mi hanno trovato subito perché quel giorno era venuto l'esercito a raccogliere la monnezza, sennò capace che stavo lì un mese.

Il signor Antonio invece l'hanno trovato sulla sua poltrona, morto per un infarto fulminante.

Era sabato mattina, almeno l'ultimo servizietto me lo sono risparmiato.

Amour fou

> Fa' che queste mie lacrime, questo pianto ti onori,
> questo vaso di latte, questa cesta di fiori,
> e il tuo corpo non sia, vivo o morto, che rose.
>
> Pierre de Ronsard, *In morte di Marie*

Il Père-Lachaise è il più bel cimitero di Parigi, vengono da tutto il mondo a visitarlo: c'è la tomba di Jim Morrison e quella maestosa di Chopin, che racchiude le sue spoglie ma non il suo cuore, no, l'autore dei Notturni non ha voluto che il suo cuore fosse sepolto a Parigi ma nascosto tra le pietre della cattedrale di Varsavia, in Polonia, l'unico suo vero amore.

Io invece il mio cuore l'ho voluto tenere con me, l'avevo consegnato nelle mani sbagliate, ma adesso che me lo sono ripreso non lo lascerò andare...

Non è facile conquistare un posto nel solenne cimitero del Père-Lachaise, ma se volete riposare con i grandi della storia ne vale la pena: ora mi potete trovare tra Maria Callas ed Édith Piaf, però la mia non è stata una *vie en rose*... Finalmente non sono più triste, la mia tomba è piena di vita, sembra un banchetto del mercato delle pulci, è ricoperta di fiori, regali, bamboline, lettere e ricordi, tutti quelli che passano lasciano un pensiero, non sono mai sola.

Il giorno del mio funerale faceva molto caldo ma sono venuti in tanti, anche quelli che erano in vacanza in Costa Azzurra o sulle colline della Provenza, tutti vestiti di chiaro. Tra amici e parenti siamo sempre stati una grande tribù, il cinema è una famiglia allargata che non ti abbandona mai nel momento del bisogno. Peccato che quella notte non lo sapeva nessuno che io avevo bisogno di aiuto...

C'eri solo tu quando sono rimasta a terra in quel triste albergo, in coma, senza soccorso. Ma non potevi salvarmi perché sei stato proprio tu che mi hai ferito a morte, poi sei andato a dormire senza dire una parola.

Eppure con te ho conosciuto l'amore, *amour fou, folie à deux, amour-passion*... L'amore parla francese, come me, un amore assoluto, esagerato: «*L'amour est compliqué, tyrannique, et même encombrant*»* mi suggerisce Colette che è sepolta vicino a me, e se lo dice lei bisogna crederle. Ironia della sorte, stavo proprio interpretando la vita di Colette poco prima di morire, è stato il mio ultimo lavoro, «un'ottima prova di attrice» ha sentenziato la critica, sempre benevola con chi non c'è più. Qualche maligno ha detto che il mio cognome mi ha aiutato a farmi avanti nella vita, vi assicuro però che non mi ha aiutato a difendermi dalla morte.

* L'amore è complicato, tirannico e perfino ingombrante.

Ma che importa, ora finalmente riposo tra i miei scrittori preferiti; lui invece spero che non riposi mai più, anche se pensa di aver già scontato la sua pena. È incredibile, è riapparso come se niente fosse nel mondo dei vivi, sono bastati solo quattro anni alla giustizia per cancellare ogni colpa. Ma il rimorso no, non se ne va via così facilmente, non c'è bisogno di conoscere il *Macbeth* per saperlo, una traccia resta per sempre proprio come uno dei tuoi tatuaggi.

Volevi fare il rocker maledetto? Sei stato accontentato, ora ti maledicono proprio tutti...

«L'amore è un urto doloroso che ricomincia sempre» mi suggerisce Colette e ha ragione. È stato uno scontro fulminante, il nostro. Lui era bello e sanguigno, poeta e musicista con un buffo accento di Bordeaux, io ero Marie.

Ci siamo amati in un modo assoluto, come due adolescenti, fino a fonderci in una cosa sola. Lui era mio, io ero sua, totalmente. È stata una progressione fatale, eravamo troppo diversi ma forse ero io a essere troppo per lui.

E lui è diventato troppo geloso.

Litigavamo e ci ritrovavamo spossati, ripiegati su noi stessi, chiusi in una passione sempre più cupa, dove lo spazio si restringeva, la luce si abbassava, la realtà si allontanava.

Così è stato quella sera: un messaggio innocuo del mio ex ha scatenato l'ira, lui non poteva condividermi con nessuno e mi ha sfondato il cervello. Due pugni ben assestati in piena faccia. L'ho guardato per l'ultima volta, lo amavo ancora nonostante tutto, poi sono caduta.

Come hai fatto a pensare che mi ero solo addormentata? Incosciente, mi hai lasciato morire senza neanche salutarmi.

Mi è rimasta questa dolce ninnananna che ha cantato piano piano l'amico Antonio Tabucchi il giorno del mio funerale, poche rime che continuano a veleggiare per me nel cielo di Parigi...

Sei come la foglia che non cade, le tue bellezze non cadono mai...
Sei come l'erba tenerina, quando cresci diventi bellina...
Sei come l'erba tenerella, quando cresci diventi più bella.

Così io sarò per sempre bella... Mentre tu invecchierai da solo, senza più nessun talento.

The Waste Land

> Sono io la storia dello stupro,
> sono io la storia del rifiuto di chi sono,
> sono io la storia della carcerazione terrorizzata
> di me stessa.
>
> June Jordan

La mia finestra era piccola e con le sbarre. Dalla mia cella vedevo uno spicchio di cielo, un cielo del Sud o del Nord del mondo, tanto la situazione non cambia, se capiti nella prigione sbagliata nessuno ti può aiutare perché la tua parola contro quella di un poliziotto vale come carta straccia.

Prova a indovinare se ero rinchiusa in India, in America o in Sudafrica? Forse ero una bosniaca sotto i bombardamenti o una donna sola in mezzo alla guerra in Ruanda o in una piazza pericolosa in Siria; magari una ragazza di colore a Cleveland e lui un bravo poliziotto dell'Illinois, ma potevo anche essere una studentessa a Bolzaneto o una migrante nigeriana chiusa nel CIE di una qualsiasi città italiana e nessuno mi avrebbe creduto lo stesso.

Gli uomini si ammazzano con le botte, le donne prima si violentano per bene e poi si lasciano morire; sono storie vecchie come il mondo che non impressionano più nessuno. Processi difficili da istituire, testimoni omertosi che non compaiono, non gli conviene andare contro l'ordine costituito, tanto ci sarà sempre un avvocato della difesa che dirà che il rapporto era consenziente, poi qualcosa è andato storto ed è finita male, ma non per lui, gli uomini con la divisa la fanno franca ovunque nel mondo, stanne certa, sono gli uomini della legge, quelli che promettono sicurezza e che difendono lo Stato, non si può infangare la bandiera né mettere in dubbio le forze dell'ordine. Stupri di massa, stupri di guerra, violenze solitarie dentro caserme chiuse a chiave. Non è niente di personale, fai solo parte del bottino di guerra, sei la vittima del consueto ordine militare, sei la pecorella smarrita del gregge e diventi lo sfizio di una serata. È la legge del più forte che si fa forte grazie alla legge. Tu non conti, da sempre non hai voce, sei un numero di una statistica che non interessa a nessuno.

Ormai siamo così tante che abbiamo un paradiso tutto nostro, dove non c'è un uomo che possa minacciarci con la forza del suo grado o con una pistola spianata. Le battaglie sono finite.

Ora finalmente sono trasparente come l'aria e posso dormire nel mio letto di nuvole, leggera, senza quel corpo di donna che tutti volevano possedere perché era troppo bello per essere vero e troppo facile da divorare.

Situazione sentimentale

Woman, I know you understand
the little child inside a man.
John Lennon, *Woman*

Stava sempre su Facebook, una fissa, c'aveva pure Twitter ma come gli piaceva Facebook, neanche il Milan lo prendeva così, sempre a modificare il profilo, ad aggiungere foto e ad accettare amici, quanti amici hai? Come le figurine, celo manca celo manca...

Io avevo solo due amiche, ma molto care, e non ci vedevamo sulla rete ma al bar. Loro, le mie amiche, ci avevano provato a dirmelo che non era un uomo adatto a me, ma esiste un uomo adatto? Più che altro ci si adatta... donne e uomini si cercano, si desiderano, se va bene si possiedono, o se ti va male come a me si rimane possedute.

A casa lui era spesso taciturno, sempre chino sul computer, più che rivolgermi la parola grugniva, questi social network sono molto impegnativi, bisogna rispondere alle nuove richieste d'amicizia, ai messaggi, taggare, condividere, aggiungere fotine, aggiornare lo stato, commentare i post... un gran lavoro che a volte lo assorbiva fino a notte fonda.

Per stargli più vicino avevo aperto anch'io la mia pagina Facebook, almeno ci potevamo parlare un po', a distanza meglio che niente. Il mio profilo me l'ha scritto lui, musica preferita le tre B: Baglioni Battisti Battiato, film preferiti, quelli li ho messi io: *Love story*, *Come eravamo*... Situazione sentimentale: fidanzata ufficialmente, clicco mi piace, smile e doppio smile, cuoricino. Io, a essere sincera, avrei preferito un rapporto un po' meno virtuale, qualche coccola, attenzioni. Sì, lo ammetto, gli ho chiesto di più. Gli ho anche dato un ultimatum, l'ho pregato di spegnere il computer almeno la domenica mattina... Mi ha cliccato non mi piace, faccina triste, l'ho lasciato. Ma non se n'è accorto.

Non sapevo come dirglielo, allora ho modificato il mio profilo su Facebook. Situazione sentimentale: single. Finalmente ha capito.

È stato lì che non ci ha visto più, gli è sembrato troppo umiliante essere lasciato così, su internet, davanti a tutti i suoi mille amici virtuali, potevo essere più discreta, almeno comunicarglielo a voce, a tu per tu, ha detto proprio così. Volevo cliccare non mi piace anzi non mi piaci più tu, ma non mi ha dato il tempo, mi ha tirato un colpo di pistola dritto in fronte, cadendo l'ho guardato finalmente negli occhi, erano verdi, me li ricordavo...

Un buon maftoul

> Lascio agli altri la convinzione di essere i migliori,
> per me tengo la certezza che nella vita
> si può sempre migliorare.
>
> Marilyn Monroe

ceci bolliti
peperoni rossi
cipollotti bianchi
prezzemolo tritato
coriandolo in polvere
foglie di sedano tritate
menta
zenzero fresco
semi di papavero
semi di zucca e girasole
1 limone, succo e scorza

Ma per fare un buon maftoul ci vuole prima di tutto la farina giusta, deve essere integrale naturalmente e poi ci vuole il frumento spezzettato, il bulgur. Lo cercavo tra i banchi del mercato quella mattina insieme alle verdure e tante spezie, volevo proprio quello di grano duro hambar, serve la migliore varietà per cucinare il più buon maftoul della Palestina, e io modestamente lo so fare proprio bene.

Voglio preparare un piatto da grandi occasioni e magari dopo ci aggiungo anche dei *ma'amoul* ripieni al pistacchio, morbidi e dolci, profumati con acqua di rose, piacciono tanto ai miei bambini. Sì, avrei cucinato tutto il giorno per festeggiare quella giornata epocale, unica, speciale, no nessuna festa religiosa, neanche un compleanno, molto di più… Il tribunale aveva finalmente accettato di discutere la mia domanda di divorzio, certo, solo discuterla ma era già un miracolo!

Allora lo zucchero a velo ce l'ho, l'acqua di rose la prendo al banco di Amir che è più buona, oggi voglio solo il meglio. Non succede spesso da noi che la richiesta di una moglie di separarsi dal marito venga presa in considerazione, il mio era già un successo straordinario, dopo anni di ricorsi, avvocati, file, burocrazia, denaro e invocazioni finalmente qualcuno mi ascoltava…

Da noi chiedere il divorzio è un privilegio riservato solo agli uomini, che possono lasciare le loro mogli quando gli pare senza neanche andare in tribunale. Invece noi donne dobbiamo chiedere il permesso… a chi? Ma al proprio marito naturalmente: «Scusa caro mi faresti divorziare e andare via con i nostri tre figli, visto che mi maltratti da quando siamo sposati, urli e alzi le mani e mi hai già mandato più di una volta in ospedale con la faccia tumefatta e le ossa rotte?». Così gli devo chiedere: «Ti dispiace se me ne vado?». E lui giù botte…

Io gliel'ho detto all'avvocato, come faccio a chiedergli il permesso di lasciarlo mentre mi sta picchiando? Non ti ascolta neanche, poi arriva ora di cena, ha fame, vuole mangiare ed è meglio non fare domande del genere, poi la notte a letto ha altro da fare che darti il permesso per divorziare. Anche mio padre era come lui e diceva sempre: «Dove finiremo se le donne possono divorziare ogni volta che vogliono?».

Naturalmente mio marito non mi ha mai dato questo permesso, ma io ci sono riuscita, con l'aiuto del centro per le donne. Avevo i referti ospedalieri, le testimonianze della vicina e di alcuni parenti, volevo andare a vivere con i miei tre bambini, lontano, tranquilli... Ma non ti lasciano mai andare. E non è che ti tengono per amore, no solo per la figura con i vicini e i parenti, per non perdere la faccia o non perdere la dote, ma più di tutto un uomo piantato da una donna perde l'onore.

Io invece ho perso la mia vita al mercato di Boda proprio mentre avevo trovato il grano hambar, luccicante come l'oro di un gioiello prezioso, stavo pagando quando è apparso uno schizzo di sangue a terra. Solo dopo ho capito che veniva dalla mia gola tagliata in un lampo dal suo coltello affilato, davanti a tutti, sotto il sole di mezzogiorno. Dev'essere stata così la ghigliottina, ma io non ero una regina.

Non ha aspettato neanche la prima udienza, l'ha voluto fare subito, in pubblico, davanti agli amici, per riconquistare il suo orgoglio. Un'esecuzione in una piazza assolata, poi è sceso il buio e non ho visto più niente. La spesa mi è scivolata di mano, i peperoni rossi sono rotolati giù per le scale del mercato rincorsi dai bambini come in un bellissimo gioco.

Che peccato, avevo trovato proprio il grano che cercavo per fare il più buon maftoul della mia vita, vita che non c'è più… Mi è rimasta in mano l'acqua di rose e lo zenzero. Alle donne della mia terra però è rimasta la prima sentenza che permette finalmente alle mogli di chiedere il divorzio. Saranno loro a cucinare un pranzo di festa anche per me, senza badare a spese, con il grano più buono che c'è e semi di girasole, zenzero, menta, prezzemolo…

Ofelia

Eppure è proprio nella pigrizia,
e nei sogni che a volte viene a galla
la verità sommersa.
Virginia Woolf, *Una stanza tutta per sé*

Certo, tre giorni nell'acqua del fiume rendono una persona irriconoscibile. Infatti al pronto soccorso ci hanno messo un bel po' a capire chi ero, eppure mi conoscevano tutti. Anche una scrittrice famosa è morta affogata nel fiume, ma lei le pietre in tasca se l'era messe da sola e invece a me le hai messe tu per farmi andare a fondo. Ma le correnti sono dispettose e ti hanno tradito.

Sono tornata a galla piena di alghe nei capelli, e mi hanno fatto un bellissimo funerale, con la chiesa piena di gente che è dovuta rimanere pure fuori per tanta che ce n'era. Perché a me in paese mi conoscono tutti, per trent'anni ho lavorato al bar dell'ospedale, ero proprio rispettata, considerata quasi come un dottore perché quando qui d'inverno il freddo punge il mio caffè è una mano santa, meglio dell'antibiotico, tanto che ormai ero più caposala che barista. Così mi diceva sempre il dottor Del Ben, un uomo molto per bene, proprio come dice il nome, lo vedi un nome un destino...

Ci parlavo tutti i giorni con il dottore Del Ben e alla fine mi sono fidata di lui, l'ultima volta a lui gliel'ho detto che m'avevi dato una bottiglia in testa perché t'avevo scoperto con le mani nella mia borsa.

I soldi ti servivano per giocare, tu dicevi che andavi da tua sorella a Marghera, invece scappavi al casinò di Venezia Lido, stavi lì inchiodato fino all'ultimo vaporetto finché non perdevi tutto. Poi hai giurato che basta, era finita col gioco, che avresti ripreso a cercare i clienti. Ti sei messo buono buono a farmi le gentilezze, pure i mestieri dentro casa, una volta mi hai portato al ristorante in città, un'altra volta i fiori e una mattina mi hai addirittura aggiustato lo scarico del water per farmi una sorpresa. È stata quella volta del water che mi hai convinta a ritirare la denuncia.

Anche se il dottor Del Ben era contrario, un uomo proprio per bene il dottore, a lui i soldi gliel'avrei prestati ma non a te che neanche più il tuo babbo si sarebbe fidato a darti un centesimo. Ti ho lasciato a secco, i miei risparmi non li trovavi più... O li davo a mia nipote che c'ha il negozio di bomboniere a Udine o li nascondevo nel reggipetto, tanto per fortuna non mi toccavi da mesi... Anche quando me li chiedevi facevo finta che non c'erano più, ed è lì che ti deve essere venuta in mente l'idea. Io mi chiamo Eufemia, sì, lo so, il nome s'assomiglia a quell'altra, anche lei è morta nel fiume, ma per amore di Amleto, io invece non ti amavo più.

Mi hai messo nel sacco della spazzatura insieme alle pietre del cantiere e mi hai buttata nel canale.

Adesso dici che non sono morta, fai finta di essere pazzo, ma tu sei furbo, volevi i miei soldi. No, mica quelli del bar, erano troppo pochi, puntavi alla polizza che m'avevi fatto tu, un miliardo di lire, mi sono condannata da sola il giorno che te l'ho girata.

Non immaginavi che le correnti dispettose ti avrebbero tradito. Ti chiami Salvo ma non ti sei salvato.

Alba chiara

> Respiri piano per non far rumore
> ti addormenti di sera ti risvegli con il sole
> sei chiara come un'alba sei fresca come l'aria...
>
> Vasco Rossi, *Albachiara*

Non sono d'accordo, ci sono milioni di uomini che amano veramente le donne. Sono tanti e sono meravigliosi, sono gentili e... non sto parlando dei gay. Sto parlando dei ragazzi che ti fanno sentire regina e principessa, che gli piaci proprio come sei e non cercano un'altra dentro di te. Sono compagni di viaggio, amici, teneri amanti, come Luigi di Varese, amore mio bellissimo che papà non ha voluto. Mio padre a modo suo mi voleva bene e anche mio fratello, ma mi hanno dovuto sgozzare perché non sentivo ragioni.

Io sono Hamina, la sposa cadavere, con Luigi ci stavamo sposando di nascosto, ma qualcuno ha fatto la spiata e all'alba mi hanno giustiziato. Poi mi hanno seppellito in giardino, sotto il melograno, mamma non ha voluto guardare.

Non mi spettava Luigi di Varese, giovane meccanico italiano con officina in proprio, che mi aveva insegnato tutte le canzoni di Vasco, e le urlavamo al vento sulla sua moto marca Ducati mentre andavamo a ballare. «Sei chiara come un'alba, sei fresca come l'aria...»

E proprio in un'alba chiara hanno deciso che mi dovevano domare, ma io sono sempre stata una cavalla pazza e ho resistito fino alla fine.

Non mi spettava Luigi di Varese, ero stata già promessa a qualcun altro, per me era prevista un'altra storia, scritta da quando ero piccola, che non si poteva cancellare. Una storia che veniva da tanto lontano, dalla valle di Bamiyan, dove vivono ancora i miei nonni, ma i Buddha giganti di pietra non ci sono più, facevano paura ai talebani e li hanno abbattuti per sempre; anch'io facevo paura e non ero neanche un gigante.

Gliel'ho chiesto quella mattina: «Mamma, posso scrivermi un'altra storia?». La invento da me come i vestiti che so farmi da sola, quelli sbracciati, colorati, che metto di nascosto. Vorrei una storia così, con un finale diverso, dove ci sia pure il viaggio in motocicletta che voleva Luigi, su, su, fino a Capo Nord per scoprire le notti bianche che sono bianche proprio come l'alba chiara di Vasco.

E invece mi è rimasto solo l'arancione del melograno che fiorisce a ogni primavera e fa frutti succosi, ricchi di semi rossi come il mio sangue.

L’uomo forte

> È l’uomo per me,
> fatto apposta per me.
> Mina, *È l’uomo per me*

A me è sempre piaciuto l’uomo forte, quello che non deve chiedere mai, per intenderci.

Io ho bisogno di sicurezza, di sentirmi protetta, difesa, posseduta, se no non mi innamoro…

Non so a voi, ma a me mi eccita un po’ di violenza, una frustatina ogni tanto con la cinghia dei pantaloni, due schiaffoni ben dati poco prima di fare sesso, cosette così. Ci godo a sentirmi un tantino vittima, schiava, geisha, l’ha detto anche la psicologa che non c’è niente di male, sono proiezioni, sogni, desideri, ma lui ci ha preso la mano e non si è più fermato.

Come ho fatto a non capirlo? Avevo pure visto quella bella campagna pubblicitaria per noi donne, quella che dice: «La violenza ha mille volti, impara a riconoscerli». Ma come si fa se ha il volto del tuo amante?

Dice pure: «Gli schiaffi sono schiaffi, scambiarli per amore fa molto male». Ne so qualcosa adesso, ma all’inizio non era così chiaro, dovrebbero farci dei corsi serali, delle ripetizioni per non cadere in trappola, è una vita che ci insegnano ad assecondare gli uomini, ora insegnateci a difenderci, a fermarli...

«Un compagno violento non ti accompagna nella vita, al massimo all'ospedale.» È vero, mi ci ha accompagnato un paio di volte, gentile, con la macchina: l'ho detto, a modo suo, ci teneva a me, veniva anche per controllare che dicevo, ma io non lo avrei mai denunciato, era il mio uomo, forte e invincibile, mi faceva sentire finalmente protetta e invece ero io che dovevo proteggermi da lui...

«Hai solo un modo per cambiare un fidanzato violento. Cambiare fidanzato!» Giusto, hanno ragione, ma io avevo paura che fosse lui a cambiarmi con un'altra, magari più giovane, più arrendevole, più disponibile. Non è che un fidanzato lo trovi a ogni angolo di strada, gli uomini so' tutti già presi dalle parti mie, e io non so stare sola, e poi pensavo che gli piaceva solo giocare, certo ogni tanto andava giù un po' troppo pesante e gliel'ho detto che stava esagerando ma non sentiva ragioni, si rabbuiava e non mi parlava per giorni, allora per addolcirlo facevo come voleva lui ma per me non c'era più niente di eccitante.

Dicono bene: «Un uomo violento non merita il tuo amore, merita una denuncia!».

Lo so, ci sono andata, ma il carabiniere di turno non c'era, dice che era stato arrestato per aver ammazzato la moglie con la pistola d'ordinanza... Dice: «Torni domani, oggi c'è confusione», ma nella mia vita c'è sempre stata confusione. Non è facile trovare la strada in questo labirinto, a parte che sul lavoro. Lì non mi confondo, sono commessa di intimo in un negozio della provincia bene, la Civitavecchia che conta viene a servirsi da noi. Vendo completini sadomaso alle mogli dei professionisti, dopo il successo di quel libro lì, quello sulle sfumature di grigio-verde che ti insegna come farti menare per bene, abbiamo avuto il picco di vendite. Son tutti capetti che servono a risvegliare il desiderio nei matrimoni un po' spenti, è un lavoro delicato, devi stare attenta a non vendere gli stessi articoli anche alle amanti, sennò succede un patatrac, ma qui sta la bravura, ci vuole memoria visiva per fare questo lavoro e io, modestamente, ero qualcuno nel campo dell'intimo.

Mi ha strozzato ieri sera con un paio di mutandine modello *Folie de Paris*, nuova collezione, pura seta, taglia 42, inserti in pizzo sintetici, euro 27.

Ottima scelta.

Voodoo style

Nulla è in regalo, tutto è in prestito.
Sono indebitata fino al collo.
Sarò costretta a pagare per me
con me stessa,
a rendere la vita in cambio della vita.
Wisława Szymborska, *Nulla è in regalo*

Lo giuro in nome di Erzulie, spirito della femminilità, guerriera, civetta e coquette, Grande Madre mutevole, Erzulie guardami con il tuo volto ambivalente: insieme luce e tenebra, pianto e riso... Proteggi il mio viaggio, e io ti giuro di mantenere l'accordo con la maman e di non tradire il mio contratto, qui in presenza del baba-loa accetto solennemente l'impegno con questo giuramento sacro.

Un patto con il voodoo non si rompe per niente al mondo. L'accordo prevedeva un impiego per me e un prestito di 45.000 naira per la mia famiglia, una volta in Italia li avrei restituiti con il mio lavoro. Io non conoscevo il valore dell'euro ma maman mi diceva che 35.000 euro era facile farli in poco tempo grazie all'impiego da baby-sitter che mi avrebbero trovato loro. Mi conveniva. Io adoro i bambini e anche se avevo solo quindici anni già me la cavavo bene con i miei fratelli più piccoli. Il baba-loa ha invocato gli spiriti e io gli ho dato i sacchettini che avevo preparato, in uno ho messo un fermaglio e una ciocca di capelli, nell'altro una foto di mia madre e gli slip, come pegno dell'accordo. Dopo stavo meglio, ero tranquilla perché sapevo che gli spiriti mi proteggevano, finalmente potevo aiutare la mia famiglia e andare via per vivere nel Paese dei miei sogni: l'Italia.

«Ricordati» ha detto la maman «che Erzulie ha un potere tremendo ed è temuta tanto quanto amata: dea della parola, dell'amore, dell'aiuto, della buona volontà, della guarigione, della bellezza, del sesso e della fortuna, ma è anche dea della gelosia, della vendetta e della discordia. Attenta a non tradirla, può essere feroce.»

Il viaggio è stato lungo, il brother che mi ha accompagnato era gentile, teneva il mio passaporto nuovo di zecca nella tasca dei pantaloni, e me lo dava solo quando c'erano i controlli, nella foto sembravo più grande, mi sentivo importante.

Prima mi hanno portato a Piacenza poi a Palermo, ma le strade erano le stesse e anche il lavoro non cambiava. All'inizio ho provato a ribellarmi, ma mi hanno violentata a turno tutti gli uomini del gruppo, era per domarmi e insegnarmi il mestiere.

Volevo scappare ma non conoscevo nessuno e non capivo la lingua, la maman italiana mi ripeteva sempre che avevo un debito da pagare e di non fare storie: «Hai stretto un patto sacro nel tuo villaggio e non puoi tradirlo». Erzulie si sarebbe vendicata senza pietà con tutta la mia famiglia e così sono tornata a prostituirmi insieme alle altre. Mi avevano comprato un joint, un pezzo di strada nel Parco della Favorita, ero ormai una delle tante pulle di Palermo. Noi siamo le nigeriane, quasi tutte minorenni. Mi picchiavano spesso perché io sulla strada piangevo sempre e i clienti non si fermavano da me. Agli uomini piace vederti sorridere mentre lo fanno, pagano anche per questo.

Ogni domenica mattina la maman veniva con i boys e il suo uomo a prendere il mio guadagno della settimana, 700 euro, dovevo consegnare tutto a lei, non potevo tenere soldi e non mi facevano mai telefonare a casa. Io continuavo a piangere, ma per fortuna avevo imparato a farlo di nascosto. Avevo troppa paura di rompere il mio giuramento, ma poi ho trovato coraggio, ho incontrato un ragazzo palermitano che mi voleva sposare e allora ho deciso di scappare. Lui mi voleva portare alla Caritas per farmi i documenti, era tutto organizzato, ma non abbiamo fatto in tempo, mi hanno ripreso subito. Io lo sapevo che non ce la potevo fare... avevo tradito il voodoo ed Erzulie.

E infatti la punizione è stata terribile, mi hanno strangolata e poi bruciata, il mio corpo lasciato al vento nelle campagne di Misilmeri.

Erzulie è capricciosa e non perdona chi si ribella.

Quarto Stato

Le donne sorreggono l'altra metà del cielo.
Mao Tse-Tung

Noi siamo sempre stati di sinistra, mio nonno era partigiano e ha conosciuto i fratelli Cervi. Mia suocera l'hanno deportata nei campi di concentramento insieme ai genitori proprio durante l'ultimo rastrellamento, ancora due giorni e ce l'avrebbe fatta, ma il confine tra dannazione e salvezza è una linea così sottile che anch'io me la sono persa.

Mi potevo salvare, chi se l'aspettava che sarebbe andata a finire così.

Insieme le abbiamo fatte tutte le battaglie, io e il Mario intendo, il mio compagno, tutte le lotte quelle giuste, il divorzio, l'aborto, i referendum, ci siamo fatti i picchetti contro la chiusura della fabbrica, anche sotto la neve e io sono molto freddolosa, ma la passione politica, si sa, scalda il cuore...

Scendevamo in piazza convinti e contenti: «La violenza vera sono fame e guerra / portate dai potenti della Terra».

Ma poi a casa c'era sempre qualcosa che non andava. Non eravamo sposati, ma il Mario mi menava proprio come fossi sua moglie, uguale.

Avevamo scelto la convivenza e la libertà, la sua di libertà, perché la mia strada era stretta e piena di ostacoli, chissà se Nilde e Palmiro dentro le mura di casa lo applicavano questo comunismo della guardia rossa che parte alla riscossa, noi anche se avevamo il ritratto di Togliatti sul comò sembravamo uguali a quegli altri, i nostri vicini alla cascina, pure lui sempre a urlare, a comandare a bacchetta la Teresa, ma almeno sul comò avevano il ritratto di Mussolini, c'era un senso...

Io e la Teresa non eravamo amiche, ci incontravamo all'alimentari senza dirci niente, ma ci lanciavamo certi sguardi carichi che dicevano tutto. La Teresa è scappata col cognato, io son rimasta.

Quella sera in cucina mi ha schiacciato contro il frigo aperto che sentivo i brividi di freddo e di paura, mi ero scordata le birre nel cassetto dei surgelati e son scoppiate tutte. Mi ci ha ficcato la testa per farmele vedere bene, lo diceva sempre che le cose andavano fatte a mestiere, come voleva lui, e io non ero mai all'altezza delle sue aspettative. Avevo pure lasciato il lavoro per accontentarlo ma non bastava mai, ero un'incapace diceva, una pasticciona, lui invece era ordinato e preciso; mi ha segato con cura a piccoli pezzi, precisi, tutti uguali, e mi ha nascosto nel congelatore in cantina.

Non ho più fatto in tempo a fare la rivoluzione.

Io, che ho avuto sempre freddo, sin da quando ero piccola, finalmente non sentivo più niente. Ve lo giuro sul Partito comunista, quello di prima naturalmente.

Fiore di loto

> Sono nata il ventuno a primavera
> ma non sapevo che nascere folle,
> aprire le zolle
> potesse scatenar tempesta.
>
> Alda Merini, *Sono nata il ventuno*

È bella l'aria frizzante la mattina, quando si esce presto e gli uomini del mercato non hanno ancora sistemato le piramidi di fiori profumati sui banchi. Con la mia piccola divisa della scuola attraverso la folla di Peshawar a spalle dritte, sembro una soldatessa fiera ma il mio esercito è composto solo da giovani donne armate di buone intenzioni e di un gran desiderio di cambiare se non il corso della storia, almeno il proprio destino.

A giugno avrei fatto l'esame e nonostante il parere contrario di tutta la famiglia mi sarei iscritta all'università, facoltà di legge di Bangalore, India.

Ho sempre sognato di fare l'avvocato, anche se mia madre pregava tutte le notti perché cambiassi idea, le ragazze che vogliono studiare rischiano grosso nel mio Paese, è meno pericoloso fare la puttana, buffo no?

Due uomini in motocicletta hanno fermato lo scuolabus e mi hanno sparato in fronte. I talebani hanno capito tutto, una donna istruita rischia veramente di cambiare il mondo, meglio farci fuori prima del diploma, un'esecuzione plateale, un segnale per tutte e si chiudono i libri per sempre.

Mi hanno detto che i venditori di fiori di loto di Bangalore con un solo tocco magico riescono a trasformare un bocciolo ancora chiuso in un fiore spalancato sul mondo. Io invece rimarrò per sempre un bocciolo.

Non abbiate paura, ho perso solo una battaglia, le mie compagne di classe non si arrendono, sono ancora armate, hanno nascosto la divisa e i quaderni sotto lo scialle... Mentre fanno finta di essere ignoranti, stanno già vincendo la guerra.

Lo sapevano tutti

> La loro pietà è nell'essere spietati,
> la loro forza nella leggerezza,
> la loro speranza nel non avere speranza.
>
> Pier Paolo Pasolini, *La religione del mio tempo*

Gliel'aveva detto a tutti, a mia madre, a mia suocera, ai carabinieri, ai colleghi di lavoro, quando ti dico tutti è tutti. L'aveva detto anche agli amici del bar e ai vicini di casa, al postino, agli imbianchini che erano venuti a dare una rinfrescata alle pareti della cucina. Lo sapevano proprio tutti, anche quelli del distributore di benzina, pure alla sala giochi lo sapevano tutti e anche i clienti del salumaio, l'aveva detto pure a loro che mi avrebbe ammazzata. E infatti quando l'ha fatto non si è meravigliato nessuno. Già lo sapevano.

Sui giornali hanno scritto: «Un raptus improvviso di follia», ma quando mai? Erano anni che lo diceva ai quattro venti... A me veramente mi è sembrata una morte annunciata, io c'ho avuto l'annunciazione come la Madonna, bella, chiara, risaputa, una bella soddisfazione in un Paese dove non si sa mai niente, la chiamano l'Italia dei misteri, ma quelli veri che rimangono misteri per anni e anni... Ustica, la strage di Bologna, qualcuno sa qualcosa? Niente. Qualcuno c'ha capito qualcosa? Buio. E invece quando sono morta io lo hanno capito subito tutti che mi aveva ammazzata mio marito, e certo, gliel'aveva detto a tutti che lo faceva e l'ha fatto. Son soddisfazioni.

Una sola cosa non mi torna, ma se lo sapevano tutti perché gliel'hanno lasciato fare?

E io, perché gliel'ho lasciato fare?

Femme fatale

> Penso che forse a forza di pensarti
> potrò dimenticarti, amore mio.
> Patrizia Cavalli, *Poesie (1974-1992)*

Allora, diciamocelo subito, di donne stronze è pieno il mondo e io sono una di quelle. Appartenere al genere femminile non ti assicura il lasciapassare per la bontà. Io sono l'esempio lampante di quelle che di solito vengono chiamate, senza mezzi termini, le figlie di mignotta. Non guardo in faccia a nessuno, cerco il mio piacere, il mio interesse e il mio tornaconto. Sono furba, smart, intraprendente, non mi fregate con due cene e un regalino. Io ho studiato, lavoro e appena posso divento uno squalo.

Gli uomini me li trovo un po' dovunque, ultimamente internet è un ottimo terreno di caccia, pensano di sedurti e tu glielo lasci credere, fai i tuoi comodi e poi sparisci nel nulla. D'altronde ce l'avete insegnato proprio voi uomini e noi, lo dicono le statistiche, impariamo molto in fretta. Non a caso siamo noi il sessanta per cento dei laureati in questo Paese...

Io non m'impegno mai, non convivo mai, non divido mai il mio letto per due notti di seguito. Se ti lasci andare, il tipo si mette subito a cucinare e vuole a tutti i costi montarti la libreria di Ikea. Io odio Ikea, e anche Leroy Merlin. Le coppie che passano il sabato pomeriggio in questi magazzini pieni di offerte sono la cosa più squallida dopo la festa di San Valentino. L'importante è fare patti chiari fin dall'inizio, anzi meglio ancora non arrivarci proprio ai patti e andarsene prima.

Ma tu non ti sei rassegnato. Insistevi, facevi le poste davanti a casa con dei patetici mazzi di gerbere. Io odio anche le gerbere e te le ho sbattute in faccia. Ma tu non ti davi per vinto, mettevi i biglietti sulla macchina, mi aspettavi sotto l'ufficio, mi seguivi dal parrucchiere, e purtroppo eri lì anche quando sono entrata in quell'albergo sulla Salaria con un amico di Facebook. Hai aspettato che lui uscisse per salire e fare la solita scenata, non ne potevo più e te l'ho detto chiaro e tondo: «Sei un poveraccio, io non ho bisogno di te!».

E tu mi hai buttato dalla finestra. Non me l'aspettavo. Per quanto stronza, mi hai fregato lo stesso.

Cara Luisella

> Se io avessi un mondo come piace a me,
> là tutto sarebbe assurdo: niente
> sarebbe com'è perché tutto sarebbe
> come non è, e viceversa! Ciò che è
> non sarebbe e ciò che non è sarebbe!
>
> Walt Disney, *Alice nel paese delle meraviglie*

Cara Luisella, mandami per favore i compiti per le vacanze che così li faccio in viaggio, sempre se posso, mi aspettano grandi cose giù nel Mali, te l'ho detto che ho una nonna che ancora non conosco?

Non vedo l'ora di vedere com'è il mio Paese, mia mamma è tutta eccitata perché i parenti hanno preparato una grande festa per me, la fanno sempre quando le bambine diventano signorine, è una tradizione, mi ha detto con orgoglio: «Stai per diventare una vera donna!». Spero che ci siano anche regali e sorprese, lo sai che adoro le sorprese. Appena arrivo a Bamako, così si chiama la mia città, ti scrivo e ti racconto bene, so che stanno organizzando tutto le zie e le altre donne di casa, ci sarà anche un piccolo rito solo per me, la mamma ha detto che non mi devo preoccupare, che lo fanno tutte le ragazze, giù da noi si usa così, mi ha detto che è solo un taglietto, se non lo fai non trovi marito e quindi cara mia poche storie, si deve fare, un attimo e passa la paura...

Tanto noi siamo ragazze coraggiose, ti ricordi quando eravamo da sole con il temporale quella sera che è andata via la luce? Mica abbiamo avuto paura, certo eravamo insieme e un po' mi manchi, mi piacerebbe tanto che tu venissi a tenermi la mano, cara amica del cuore, ma ci vediamo a Roma i primi di settembre quando ricomincia la scuola e io sarò una donna vera!

Ora ti lascio perché devo fare la valigia.

Ti voglio bene, tua Fatoumata

P.S. Mi dispiace Luisella, non sono riuscita a spedire la lettera dall'aeroporto, pensavo di farlo appena arrivata a Bamako, ma non mi hanno dato un momento di tregua, pensavo di farlo dopo la cerimonia, ma qualcosa è andato storto durante la festa, la nonna non ha più la mano ferma quando taglia. Sono morta di emorragia mentre mi portavano all'ospedale. Ecco perché non ti è arrivata la mia lettera, ma spero che ti raggiunga da qui...

Giustificami con la prof, perché i compiti delle vacanze non ho fatto in tempo a farli. Ti voglio bene, tua Fatoumata

P.S. del P.S. Ti voglio dire una cosa, non diventare mai una donna vera, è molto meglio rimanere bambine per sempre, ancora tvb,

Fatoumata

Tutto in ordine

> Je ne veux pas travailler
> Je ne veux pas déjeuner
> Je veux seulement oublier et puis je fume
> Édith Piaf, *Je ne veux pas travailler*

Eppure ci vuole molta forza per togliere la vita con un taglierino, e pensare che lui non tagliava mai il pane perché gli faceva male il polso, dice che c'aveva il tunnel della carpa, non il pesce, quel dolore delle ossa del polso, così forte che non puoi prendere in mano niente sennò senti delle fitte atroci, eppure i bambini li ha sgozzati con una forza inaudita. Ha detto che doveva farlo per punirmi, io ero la sua schiava e non potevo rifarmi una vita libera da sola con i suoi figli, che erano anche i miei, ma solo quando gli faceva comodo.

Ci vuole una grande forza per togliere una vita con un taglierino e infatti su di lui non c'è riuscito, è sopravvissuto, si vede che aveva la scorza dura da coccodrillo, eppure non ha versato lacrime. Ha detto che era un lavoro che andava fatto, punto e basta. Come aggiustare un rubinetto che perde oppure oliare un cancello che non si chiude. Si rimettono a posto le cose e tutto torna in ordine, un ordine antico che non prevede eccezioni.

A me non mi ha sfiorato, sono rimasta viva, almeno così pensano tutti, ma anche se respiro e fumo le sigarette, da quel giorno sono morta e sepolta.

Il banchetto

> Madre Vergine, Madre di Dio,
> diventa femminista, diventa
> femminista, diventa femminista!
>
> Pussy Riot

In Russia c'è un'antica tradizione che è ancora viva in alcuni Paesi sulle rive del Volga. Durante i nostri funerali la bara rimane aperta: tutti vogliono salutare fino all'ultimo i propri cari che non ci sono più. Si sa, l'anima aleggia ancora intorno alla casa per un bel po' di giorni, volteggiando qua e là tra le cose terrene, sbircia dall'alto la sua veglia funebre, sente cosa dicono gli amici, se la ride dei commenti, ma più di tutto non vorrebbe vederli piangere tutte quelle lacrime calde che cadono nelle pentole del pirog bollente. Il pirog è buonissimo con quel suo sottofondo dolce. Da noi si cucina spesso ai funerali, l'occasione è importante e ognuno si cimenta nei suoi piatti forti. Si mangia bene ai funerali in Russia e si lascia sempre una scodella pronta per il parente scomparso con bicchiere e tovagliolo e pane, non si sa mai, il defunto potrebbe atterrare su una portata quando meno te l'aspetti, non è un caso che si preparino proprio i suoi cibi preferiti. In Ucraina hanno addirittura costruito tavoli e panche fisse nei cimiteri, inchiodate vicino alle lapidi, ogni tomba ha il suo spazio picnic. Che definirlo picnic è poco, perché si tratta di un vero e proprio banchetto da allestire subito dopo la funzione, senza perdere un attimo di tempo, non si dica mai che il caro estinto s'involi nelle alte sfere paradisiache senza aver consumato almeno con gli occhi una specialità di casa. Infatti al mio pranzo funebre non mancavano bitoke di carne con anelli di cipolla fritti a puntino, coulibiac di salmone, blinis, zuppa di barbabietole rosse, la mia preferita, quella che faceva sempre la mia mamma la domenica, con gran finale a base di paskha: un dolce morbido ripieno di formaggio fresco, panna acida, canditi e mandorle. Le mie bambine ne vanno matte...

Alla funzione hanno rispettato le nostre tradizioni russe, mi hanno sistemato nella bara rivestita di velluto fiammante con piccoli oggetti di compagnia e conforto e un po' di rubli per affrontare il lungo viaggio. Naturalmente indossavo il bel vestito bianco fatto su misura per l'occasione, ma purtroppo non l'ha visto nessuno, a malapena si potevano scorgere i miei piedi con le scarpette da ballo candide come la neve. Io ero tutta coperta. In questo caso la tradizione non ha vinto, mia madre non ha voluto mostrarmi, non sopportava che le mie figlie vedessero la loro mamma che sembrava un'altra: una giovane mamma che adesso faceva paura, senza più connotati, gonfia di botte di una delle tante sere bagnate dalla sua vodka, sempre troppa, sempre presente, la sua vera amante, che ha preferito a tutto.

Se si fosse regolato... Un po' di botte a me stavano anche bene, le avrei sopportate, ma non si regolava. Il liquore bianco non perdona, si perde la testa e si perde la misura facilmente, se almeno avesse aspettato che si rimarginavano le ferite dei giorni prima forse non sarebbe successo, era una settimana che non mi lasciava in pace, ma ve l'ho detto, la vodka è micidiale, se ti innamori di lei non ti perdona, ti vuole tutto per sé e qui in Russia gli uomini sono prede facili. Nessuno lo sa ma nel nostro Paese sono tante le donne che muoiono in casa ammazzate di botte, o da quello che i mariti trovano sotto mano... Qui non ci difende nessuno, non ci sono controlli, tribunali speciali, voi vi lamentate ma da noi c'è solo un centro antiviolenza ogni tre milioni di donne, praticamente il deserto...

Per le nostre leggi una rissa in un bar è molto più grave di ogni violenza dentro le mura di casa.

Noi caschiamo in silenzio una dopo l'altra come le foglie i primi giorni d'autunno, poi veniamo spazzate via dal vento e nessuno si ricorda di noi.

Se avessi potuto scegliere avrei preferito dare la vita per qualche grande ideale, almeno mi potevo togliere la soddisfazione di lottare per i miei sogni. Sempre meglio morire per qualcosa di importante, ma non certo per un bicchiere di troppo e il disamore del tuo uomo...

Un chilo di zucchero

Il libero arbitrio
non è altro che un'illusione.
Murakami Haruki, *1Q84*

Ma è naturale, fa parte della natura, non stiamo tanto a menarcela, cicicì, cicicì, ci sono cose che sono così e basta. Vuoi mettere in discussione le onde del mare o le nuvole? No. Ci sono, ci sono sempre state e ci saranno ancora quando tu scomparirai. Inutile mettersi a fare tutte queste storie tragiche, manifestazioni, alleanze, sorellanze, le vittime di qua, le vittime di là, non capite che peggiorate la situazione e a quelli gli viene ancora più voglia di farvi fuori, vi ammazzerei a tutte io se non foste già morte... All'uomo gli viene naturale di comandare, non è colpa sua, è fatto così, tu studia il dna e poi vienimi a raccontare; all'uomo non gli piace essere contrariato, devi dargli ragione anche se ha torto e tutto fila liscio...

E invece no, sempre da ridire, a far polemica, e mettere i puntini sulle i, e «Adesso parliamo» e «Ora mi spieghi»... Lo esasperate, lo provocate e poi vi lamentate che si arriva alle estreme conseguenze.

Io sono morta per caso. Quello che chiamano un omicidio collaterale. Mi trovavo lì perché mi mancava lo zucchero e sono diventata testimone scomoda. E già che c'ero ha ammazzato pure me.

Io non sono mai stata fortunata nella vita, a quarant'anni non avevo ancora trovato marito e sono stata fatta fuori dal marito di un'altra… se non è sfiga questa! Solo gli svantaggi mi sono beccata, perché i vantaggi ci sono, belle mie, non fate le ipocrite, vi piace la fedina di brillantini, il rubinetto riparato, il letto caldo? Però poi vi salta il ghiribizzo e volete l'indipendenza, uscire con le amiche, fare la tintura rosso fuoco, e poi li volete lasciare perché vi hanno stufato… eh no troppo comodo care mie, ormai ci stai, te lo sei preso e te lo tieni!

«Non mi capisce», «Non è romantico», «Beve troppo», «Parla poco»… E alla fine, esasperati, questi sono costretti a venire alle mani. Il marito di Iris, la mia vicina, erano anni che glielo sentivo dire: «Guarda che t'ammazzo», più di così? Te lo dice pure, lo sa tutto il vicinato, e tu continui a fare le storie… Ma sei proprio scema cara mia, te la sei voluta. Solo una cosa non capisco: ma io che c'entravo?

Dark Violet

È sparita la Luna,
le Pleiadi. Notte
alta.
L'ora del tempo varca.
Io dormo
sola.

Saffo

Questa è la confessione di Giovanni alle ore 19,20 del 26 aprile 2012 negli uffici della squadra mobile di Forlì, in presenza del pubblico ministero Pietro Diaz e del capo della squadra mobile Andrea Licausi.

«Io Giovanni Starnocci di anni 34...»*

Il mio fidanzato in realtà ne ha quasi 35, vabbè sincero non è stato mai...

«trovandomi nell'appartamento che dividevo con la mia nuova fidanzata Ivana di anni 22,»

Per l'esattezza, li avevo appena compiuti.

* Il testo della confessione qui riportato è l'originale della deposizione di Francesco Lo Presti, reo confesso dell'assassinio della sua compagna.

«approfittando del fatto che Ivana era chinata verso l'armadio dove stava scegliendo il giubbino da indossare,»

Se permetti, armadio a specchio in noce scuro che veniva da casa mia…

«con il cavo di connessione del dvd facevo un doppio giro al suo collo e, mentre stringevo, l'ho tirata di peso facendola rovinare a pancia in su sul letto,»

… Il nostro letto…

«ove, mentre le gambe penzolavano, la parte superiore del corpo si adagiava. In tale momento io continuavo a stringere mentre lei non opponeva alcuna resistenza.»

E certo, che potevo fare? Non me l'aspettavo, mi ha preso alla sprovvista, da dietro. Mi aveva detto: «Vestiti, usciamo che è meglio, che mi prudono le mani»… E io ho detto: «Grattatele!». Forse era meglio che non gli rispondevo, dico, pensando al dopo, agli uomini non gli piace se gli rispondi…

«Dopo cinque minuti ho visto uscire del sangue dal naso e dalla bocca, continuavo a serrare il cappio fatto con il cavo. Quando ho iniziato a sentire che respirava male l'ho sollevata di peso.»

Di peso? Non esageriamo, mi ha strattonato giù come un sacco di rifiuti, altro che...

«L'ho adagiata»

Sì adagiata, diciamo buttata, buttata via...

«adagiata per terra tra il comò e l'armadio.»

Quello con lo specchio.

«In tale momento, appena mi sono accorto che Ivana non respirava più, ho dato uno strattone al cavo, che ancora era attorcigliato al suo collo, provocando la rottura del cavo.»

Non ci potevo credere, era proprio lui, proprio lui mi stava facendo questo e mi guardava con gli occhi vuoti senza sentimento, eppure avevamo appena fatto l'amore. Gli erano venuti i cinque minuti, s'era fissato che al pub c'era uno che mi faceva il filo e io gli davo retta, ma quando mai? Non c'ho neanche il tempo di respirare lì al bancone e quando servo quegli ubriaconi penso a tutt'altro, non vedo l'ora di tornare a casa e togliermi le scarpe...

«Tolto il cavo dal collo di Ivana, mi sono portato in bagno ove mi lavavo le mani che si erano sporcate di sangue.»

Lo avevo appena pulito a fondo il bagno, l'ho sentito trafficare. Perché io ero ancora viva, respiravo a malapena ma sentivo tutto, lui era di là e si asciugava le mani con la biancheria fresca di bucato che avevo appena sistemato prima che arrivasse...

«Fatto ritorno verso la camera da letto, ho notato e sentito Ivana mentre emetteva dei rantoli e allora ho preso un fazzoletto di stoffa di colore rosso e bianco e,»

Non era un fazzoletto, era un tovagliolo. Ma che ne sapeva lui? Non ha mai apparecchiato una volta... se è per questo neanche lavorava mai, i lavoretti gli duravano un mese o poco più, poi si stancava, litigava sempre, anche l'ultimo che sembrava andasse bene, il pizza express, dopo venti giorni via, ogni volta se la prendeva con qualcuno, tanto ero io che portavo avanti tutta la baracca. Otto ore a servire al pub e poi la spesa, e poi pulisci e poi cucina, ma a me la fatica non ha mai fatto paura… Le donne sono forti – quasi sempre – meno che con gli uomini, perché le donne non ci credono che gli uomini possano veramente arrivare a ucciderle.

«questo fazzoletto di stoffa,»

E ancora con questo fazzoletto…

«dopo averlo imbevuto di candeggina, con forza gliel'ho premuto sulla bocca e sul naso, impedendole così di respirare. Trascorsi ulteriori cinque minuti, ho constatato che Ivana non respirava più, che il petto non le batteva e che le unghie erano diventate di color lilla.»

… Proprio dello stesso colore dello smalto che avevo messo quest'estate al mare, Dark Violet, quello che ti era piaciuto tanto e mi avevi detto all'orecchio che ero la donna più bella che tu avessi mai avuto e quanto eri fortunato e io ti ho risposto: «Mai quanto me che ho incontrato te».

Bimbe campanellino

«Campanellino, perché non riesco a volare?»
«Peter Pan, per volare hai bisogno
di ritrovare i tuoi pensieri felici»
James Matthew Barrie, *Peter Pan*

Mi potevo chiamare Shamila, Anju, Chitra, o Durga come la divinità combattente indiana dalle mille braccia armate, ma se volete anche Yang Yiling che in cinese vuol dire Giada o Jin Ziwci: la Bellezza...

Sì, potevo essere una bellezza combattente, preziosa come la giada, se solo fossi nata, ma non ce l'ho fatta.

Chiariamo subito una faccenda spinosa: ci tengo a dirlo, i miei genitori sono contro l'aborto, lo sono sempre stati, guai a parlarne, a meno che non si tratti di arginare il pericoloso eccesso di figlie femmine. È comprensibile, chi se la sente di allevare una ragazza con quello che costa?

Tra dote, matrimonio e corredo se ne va una fortuna, per non parlare di tutte le seccature che questo nostro sesso comporta. Certo, una ragazzina la si può sempre rivendere al mercato dei bordelli ma intanto la devi tirare su almeno fino a sei, sette anni, sennò i trafficanti del sesso non te la prendono... Ma le bimbe a quell'età già si affezionano, creano problemi, s'incapricciano per restare a casa. La nonna diceva sempre: «Dai retta a me, meglio fare subito quello che si deve fare e non pensarci più».

Per fortuna la scienza ci è venuta incontro, ultimamente ha fatto proprio passi da gigante, prima era una barbarie: ci facevano nascere e poi ci buttavano nel fiume chiuse in un sacco come i gattini, o ci soffocavano con il sari che avremmo dovuto indossare. Ora no, con la civiltà è tutta un'altra cosa, c'è questo apparecchio meraviglioso che ti fa sentire il battito del bambino quando è ancora nella pancia della mamma, puoi vedere il cuoricino e contare anche le dita delle mani e dei piedi… appare tutto proprio come in una fotografia e già si riconosce il visetto, tanto che qualcuno in famiglia azzarda delle somiglianze, è tutto suo nonno, no è proprio come lo zio Armud…

«Mi dispiace, ma si tratta di una bambina.»

«Ne è sicuro dottore?»

«Certo, si vede benissimo.»

«Ma a me invece sembrava di vedere…»

«No, quello che vede lei è il cordone ombelicale.»

«Ah, perché mi dicono che a volte l'affarino si nasconde tra le gambette.»

«È una femmina, glielo assicuro.»

«Ecco, se siamo sicuri…»

«Sicurissimi.»

Non sorride più nessuno adesso, e io non assomiglio più a niente. Si torna a casa senza dire una parola, perché tanto è già tutto deciso.

Qualcuno ha fissato un appuntamento con l'esperta del villaggio sul Gange o dal grattacielo che vede il Jin Mao Tower hanno già avvertito la clinica, se sei una bambina, ovunque tu sia la decisione è presa, ed è una sentenza che è stata scritta tanto tempo fa, visto che all'appello nel mondo mancano all'incirca cento milioni di femmine, femmina più, femmina meno... Meno male! Siamo già così tanti che ci mancavano altri impiastri!

Ora siamo diventate un esercito di lucciole, piccole stelle che volano nel cielo come Campanellino di *Peter Pan*, cerchiamo l'isola che non c'è, o meglio l'isola delle bambine che non ci saranno mai.

Però io posso apparire in sogno a mio fratello, tutte le notti giochiamo insieme e mi racconta le cose di casa, mi vuole bene mio fratello, a lui sarebbe piaciuto avermi con sé, ma è troppo piccolo per prendere decisioni. Ancora non lo sa, ma quando avrà vent'anni sarà molto difficile per lui trovare una moglie, perché già oggi i maschi nel mio Paese sono milioni in più e le ragazze sono sempre meno.

Ma adesso non ci pensa e per consolarmi ogni sera mi porta una fetta di torta che ruba di nascosto dalla tavola, peccato non essere nata, con una mamma che cucina dei dolci così buoni. Se capitate da queste parti dovreste proprio assaggiarli...

Ogni riferimento a fatti e persone
non è puramente casuale

IL FEMMINICIDIO

Il 25 giugno del 2012 Rashida Manjoo, relatrice speciale delle Nazioni Unite per la lotta contro la violenza sulle donne, ha presentato il rapporto sugli omicidi di genere. Frutto di visite sul campo, colloqui con i governi, relazioni con l'Assemblea generale dell'ONU e con le organizzazioni della società civile, questo rapporto rappresenta il quadro più completo e aggiornato sul femminicidio nel mondo.

«A livello mondiale, la diffusione degli omicidi basati sul genere [...] ha assunto proporzioni allarmanti» scrive la relatrice delle Nazioni Unite, «culturalmente e socialmente radicati, [questi fenomeni] continuano a essere accettati, tollerati e giustificati, e l'impunità costituisce la norma.» E ancora: «Le donne che sono soggette a continue violenze, che sono costantemente discriminate, è come se vivessero sempre nel "braccio della morte", con la paura di essere giustiziate». E tale condizione è trasversale, travalica qualsiasi differenza di cittadinanza, cultura, religione e status.

Il rapporto ricostruisce l'origine del termine con cui si indica questo fenomeno. Usato sin dall'inizio del XIX secolo per indicare gli omicidi di donne, la parola *femmicidio* ricompare negli slogan delle femministe negli anni Settanta, e poi nel 1992 quando la studiosa Diana Russell la utilizza nei suoi libri per parlare della forma estrema di violenza da parte dell'uomo contro la donna «perché donna». Nel 2006 la parlamentare femminista messicana Marcela Lagarde conia la versione *femminicidio*, di cui si serve per definire la «forma estrema di violenza di genere contro le donne, prodotta della violazione dei suoi diritti umani in ambito pubblico e privato, attraverso varie condotte misogine».

Per Rashida Manjoo c'è inoltre molta ipocrisia in chi, in Occidente, continua a definire gli omicidi basati sul genere «delitti passionali», come risultato cioè di comportamenti individuali, oppure «delitti d'onore», come effetto di pratiche sociali o culturali, nei Paesi orientali. Tale dicotomia esprime «una concezione superficiale, discriminatoria e spesso stereotipata [...] che riguarda tutte le donne del mondo». Questi tipi di femminicidio, sebbene presentino modalità diverse, sono sempre accomunati dalla violenza pregressa subita nell'ambito di una relazione d'intimità.

Tra le altre forme «dirette» di femminicidio sono comprese: le uccisioni di donne in situazioni di guerra; le donne bruciate a causa della dote in alcuni Stati dell'Asia meridionale; gli omicidi delle donne indigene e aborigene; le forme estreme di accanimento sui corpi delle donne assassinate dalla criminalità organizzata e dai gruppi paramilitari; quelle che muoiono accusate di stregoneria o di magia in alcuni Paesi dell'Africa, dell'Asia e delle isole del Pacifico; i delitti a causa dell'orientamento sessuale o dell'identità di genere e di altre forme estreme come la pratica del *sati* (le vedove indiane indotte a bruciarsi vive sulla pira funeraria del marito), l'aborto dei feti di sesso femminile e l'infanticidio delle bambine in Cina, India e Bangladesh.

Ma esistono anche forme di femminicidio «indiretto», come i decessi delle madri causati da aborti clandestini, quelli legati al traffico di esseri umani, al crimine organizzato, alla mancanza di cure mediche e di un'alimentazione adeguata per le bambine, le morti dovute a pratiche tradizionali dannose come le mutilazioni dei genitali femminili.

Come denuncia la relatrice speciale, i sistemi informativi carenti e la scarsa qualità dei dati disponibili sul fenomeno non consentono di studiarlo a fondo e di implementare strategie di prevenzione e di contrasto.

Rashida Manjoo si sofferma inoltre sul ruolo dell'informazione apprezzando i media quando «hanno aiutato le associazioni di donne a distinguere i femminicidi dagli altri omicidi di donne», criticandoli quando «hanno perpetuato stereotipi e pregiudizi».

Il rapporto si conclude con un lungo elenco di raccomandazioni che esortano gli Stati a impegnarsi nella lotta contro la violenza «con la dovuta diligenza per la promozione e la protezione dei diritti delle donne», in quanto «femmicidio e femminicidio sono crimini di Stato tollerati dalle pubbliche istituzioni per incapacità di prevenire, proteggere e tutelare la vita delle donne».

Nonostante la carenza e la frammentarietà dei dati evidenziate dal rapporto delle Nazioni Unite, possiamo farci un'idea dell'entità del fenomeno consultando il *Global Burden of Armed Violence*, un bilancio compilato dalla Geneva Declaration on Armed Violence and Development sugli effetti dei conflitti armati e della criminalità in tutto il mondo. Secondo le indagini statistiche compiute per la prima volta nel 2011 in 111 Paesi, sono state uccise 44.000 donne in media ogni anno dal 2004 al 2009. Partendo da questo dato, è stato stimato che il numero delle vittime di femminicidio in tutto il mondo si aggira intorno a 66.000, pari a circa al 17 per cento degli omicidi intenzionali totali. Si conferma la natura domestica del fenomeno: l'autore, in circa la metà dei casi, è il partner attuale o l'ex.

I Paesi con il più alto tasso di femminicidi sono El Salvador, Guatemala, Giamaica e Sudafrica che registrano 10 casi ogni 100.000 donne (pari a 5 volte i tassi complessivi di omicidio nella maggior parte delle nazioni dell'Europa occidentale). Più della metà dei 25 Stati con elevatissimi tassi di femminicidio sono in America Latina; tre in Asia e uno in Africa; mentre tre sono nell'Europa del Nord e quattro nell'Europa dell'Est.

Per ricavare qualche dato interessante sulle disparità di genere in Italia, può essere utile l'analisi compilata dal World Economic Forum nel 2012. I dati non sono incoraggianti e sembrano proprio dire che l'Italia è sempre meno un Paese per donne. Scesa all'80° posto di questa classifica mondiale (prima di noi ci sono Ghana, Kenya, Botswana e Perù), l'Italia è tornata ai livelli di cinque anni fa. Il nostro Paese registra le sue performance migliori sul piano dell'istruzione, dove si situa al 65° posto (superata comunque da Stati come Paraguay, Repubblica Ceca, Cile).

Va peggio nella classifica sulla partecipazione politica delle donne, dove ci collochiamo al 71° posto (dopo Bangladesh, Senegal, Tanzania) e sulla salute, dove ci aggiudichiamo il 76° posto (superati da Ungheria e Brasile). I problemi maggiori si riscontrano però nel campo economico e salariale, e nella classifica relativa alle opportunità lavorative. Qui l'Italia scende al 101° posto (sopra di noi ci sono Perù, Grecia, Botswana).

In un contesto segnato da una forte disparità tra i generi come quello appena delineato, il fenomeno della violenza contro le donne italiane e straniere è un elemento di ulteriore preoccupazione. A lanciare l'allarme è stata anche Rashida Manjoo nel rapporto stilato dopo la sua visita in Italia nel gennaio del 2012. Per la relatrice speciale il problema del femminicidio continua a essere preoccupante, e a tal proposito ricorda che l'Italia è l'unico Paese in Europa richiamato (insieme al Messico) dalla Convention on the Elimination of All Forms of Discrimination against Women, CEDAW.

Come sottolinea la relatrice, in Italia le leggi per proteggere le vittime della violenza ci sono, ma non vengono sempre applicate in modo efficace. E quella in famiglia è la forma più diffusa di violenza contro le donne. «Il continuum della violenza domestica si riflette nel numero crescente di femminicidi causati da partner, coniugi o ex partner. Nel contesto di una società patriarcale dove la violenza domestica non è sempre percepita come un crimine, dove le vittime in gran parte dipendono economicamente dagli autori della violenza e dove persiste la percezione che le risposte dello Stato non saranno appropriate o utili, la maggior parte di questi episodi di violenza non viene denunciata».

La carenza di dati costituisce un problema anche nel nostro Paese, dove l'assenza di un osservatorio impedisce di monitorare la situazione e di valutare l'impatto delle politiche di contrasto e sostegno messe in atto dal governo e dagli enti locali. A oggi, in Italia, le sole informazioni disponibili provengono dalle indagini campionarie dell'Istat svolte nel 2006 (è in preparazione una nuova rilevazione i cui risultati saranno però presentati tra qualche anno). Secondo questa indagine, sono 6 milioni e 743.000 le donne dai 16 ai 70 anni vittime di violenza fisica o sessuale nel corso della loro vita. 5 milioni di donne hanno subìto violenze sessuali, 3 milioni e 961.000 violenze fisiche. Circa un milione di donne ha subìto stupri o tentati stupri. Il 14,3 per cento delle donne con un rapporto di coppia attuale o precedente ha subìto almeno una violenza fisica o sessuale dal partner e se si considerano solo le donne con un ex partner la percentuale arriva al 17,3 per cento. Nella quasi totalità dei casi le violenze non sono denunciate. Il sommerso è elevatissimo e raggiunge circa il 96 per cento delle violenze da un non partner e il 93 per cento da partner. Anche nel caso degli stupri la quasi totalità non è denunciata (91,6 per cento).

Un'altra indagine dell'Istat sulle molestie sessuali del 2008-2009 rivela che circa la metà delle donne tra i 14 e i 65 anni (10 milioni e 485.000, pari al 51,8 per cento) hanno subìto nell'arco della loro vita ricatti sessuali sul lavoro o molestie come pedinamenti, casi di esibizionismo, telefonate oscene, molestie verbali e fisiche.

Anche sui femminicidi non ci sono dati ufficiali. Le uniche informazioni disponibili sono quelle raccolte dalla Casa delle donne di Bologna e si tratta sicuramente di numeri sottostimati. Essi rivelano tuttavia un'escalation di violenza che vede circa 900 donne uccise dal 2005 alla fine del 2012. Un supporto alle donne che chiedono aiuto è offerto e gestito sul territorio dai centri antiviolenza: nel 2011 le donne in situazione di violenza intra ed extra familiare che si sono rivolte a queste associazioni sono state 13.137 (secondo i dati dell'associazione Donne in rete contro la violenza, D.i.Re, 2011). Di queste, quelle che lo hanno fatto per la prima volta rappresentano quasi il 70 per cento, un dato che conferma la diffusione del fenomeno e la necessità sul territorio di luoghi che possano offrire un valido sostegno alle vittime.

Dal 2009 è attivo il numero verde antiviolenza 1522. Si tratta di un servizio pubblico del dipartimento per le Pari Opportunità, collegato alla rete nazionale antiviolenza e alla rete dei centri sul territorio, uno strumento essenziale che si propone di fornire ascolto e sostegno alle donne vittime di violenza.

L'Europa e gli organismi internazionali sollecitano da tempo gli Stati membri, e l'Italia in particolare, ad adottare e ratificare le proposte e le convenzioni prodotte in tema di violenza contro le donne, in particolare:

- la Convenzione di Istanbul (convenzione del Consiglio

d'Europa sulla prevenzione e la lotta contro la violenza nei confronti delle donne e la violenza domestica). Mentre andiamo in stampa (gennaio 2013), ci auguriamo vivamente che tra i primi atti del nuovo governo possa esserci l'approvazione del decreto legge sulla ratifica;

- la Convenzione NO MORE!, frutto del lavoro di associazioni di donne e realtà della società civile che condividono l'impegno per contrastare, prevenire e sensibilizzare sul tema della violenza contro le donne e sui diritti umani. La Convenzione propone un percorso che è necessario intraprendere per «richiamare le istituzioni alla loro responsabilità e agli atti dovuti, per ricordare che, tra le priorità dell'agenda politica, la protezione della vita e della libertà delle donne non può essere dimenticata e disattesa».

DELITTI D'ONORE E VIOLENZA DI GENERE IN AFGHANISTAN E IN PAKISTAN

Malgrado i numerosi interventi degli ultimi anni, la sicurezza personale delle donne e delle ragazze afghane è stata ostacolata da decenni di guerre, discriminazioni e da un'impunità tuttora diffusa. Dopo i talebani, la preoccupazione internazionale per i diritti delle donne è aumentata e lo testimonia la creazione in Afghanistan di una Commissione indipendente per diritti umani e di un ministero per le Donne. Ma nel mirino dei gruppi armati continuano a esserci le donne che non si conformano al ruolo imposto dalla tradizione. Tra quelle che rivestono ruoli pubblici, sono in molte a essere state minacciate, molestate e uccise. Ecco quanto risulta dalla missione di assistenza delle Nazioni Unite in Afghanistan: nel 2005 un quotidiano aveva intervistato le donne che si erano rese disponibili per assumersi delle responsabilità politiche e sociali nella ricostruzione del Paese: su cinque, tre sono state uccise e una è dovuta scappare. Malalai Kakar, la donna più alta in grado nella polizia di Kandahar, a capo di un'unità di dieci poliziotte che si occupava di violenza domestica, è stata uccisa nel 2008.

Il 9 ottobre 2012 Malala Yousafzai, una ragazza pakistana di 15 anni, viene gravemente ferita con un colpo alla testa sparato da un talebano salito sullo scuolabus su cui viaggiava. Attaccata per la sua battaglia contro la distruzione delle scuole per ragazze in Pakistan, la sua vicenda ha ispirato un movimento globale che ne sostiene la candidatura al Nobel per la Pace. Anche in Afghanistan le studentesse sono un obiettivo esplicito della violenza. I gruppi ribelli attaccano di continuo le scuole e le ragazze che le frequentano. Secondo i dati del ministero per le Donne, tra il luglio del 2005 e il febbraio del 2007, 192 istituti scolastici sono stati presi d'assalto, saccheggiati, incendiati e distrutti. Per problemi di sicurezza oltre il 70 per cento delle scuole nella provincia di Helmand sono state chiuse. In queste condizioni i genitori hanno paura a mandare i propri figli a scuola, in particolare temono per le figlie.

La maggioranza delle donne in Afghanistan ha subìto almeno una forma di violenza nella sua vita: psicologica (umiliazioni, limitazioni della libertà, divieti, minacce); fisica (maltrattamenti e abusi di ogni tipo); economica (divieto di lavorare fuori casa, nessun accesso alle risorse economiche della famiglia). Tra le forme di violenza sono da annoverare le pratiche tradizionali dei matrimoni precoci e forzati, i delitti d'onore, l'obbligo di sposare il proprio stupratore, l'uso delle donne come oggetto di scambio.

Gli autori delle violenze non sono solo i gruppi armati, ma anche i familiari della vittima: mariti, padri, fratelli, cognati e figli che sovente rimangono impuniti, a causa di una cultura che crede nella superiorità dell'uomo sulla donna e non rispetta i diritti sanciti dalla legge. Nelle comunità è diffusa la convinzione che la violenza domestica sia un fatto privato di cui non si deve parlare e che non necessita di interventi esterni. L'alto livello d'impunità non fa che incrementare la violenza sulle donne, lo stupro in particolare. Qualunque donna denunci un abuso sessuale rischia un'ulteriore vittimizzazione, compresa una possibile incriminazione per il rapporto sessuale avuto al di fuori del matrimonio.

Nel 2009 è stata promulgata la legge per l'eliminazione della violenza contro le donne in cui sono stati definiti come reati il matrimonio precoce, il matrimonio forzato, la vendita o l'acquisto di donne per matrimonio, il *baad* (cedere una donna o una bambina per risolvere una controversia), l'autoimmolazione forzata e altri 17 atti di violenza, incluso lo stupro e le botte.

Sebbene gli episodi di violenza siano ampiamente sottostimati, un rapporto dell'UNAMA (Missione di Assistenza ONU in Afghanistan) del dicembre 2012 rileva un incremento delle denunce, sintomo incoraggiante di una crescente consapevolezza del problema e delle sue conseguenze. Continuano però ad aumentare i delitti d'onore e le condanne di donne e ragazze che tentano di scappare da casa per non subire più violenza. Nonostante la fuga non sia considerata un reato né dalla legge afghana né dalla *sharia*, le autorità giudiziarie spesso arrestano e perseguono chi scappa per quello che considerano un «crimine morale». L'impunità aumenta a causa della riluttanza della polizia a incarcerare i colpevoli che fanno parte di gruppi armati antigovernativi o di milizie del governo, oppure della casta dei politici o delle gang della criminalità organizzata.

I dati sulla violenza sessuale sono allarmanti e includono rapporti forzati, prostituzione, gravidanze e aborti imposti.

Anche se nel 2012 il ministero della Giustizia e quello delle Donne hanno pubblicamente condannato la violenza di genere, per gli esperti del CEDAW è assolutamente necessario che le istituzioni intervengano efficacemente contro le incarcerazioni illegali e mettano in atto un'effettiva protezione delle donne e delle ragazze.

Le strutture di sostegno alle donne come l'assistenza medica, sociale, psicologica o legale sono scarse e a volte inesistenti. L'unica istituzione governativa che se ne occupa è rappresentata dagli uffici provinciali del ministero per le Donne, che però non hanno né le capacità né le competenze sufficienti per rispondere ai bisogni delle vittime.

IL FEMMINICIDIO IN MESSICO E IN AMERICA LATINA

Tra le zone che non sono in guerra, i Paesi dell'America Centrale sono quelli in cui il tasso di omicidi è più alto. Mentre negli ultimi dieci anni il numero degli uomini uccisi è rimasto invariato, c'è stato un aumento impressionante degli omicidi femminili: in Guatemala nel 2004 il numero delle donne assassinate è aumentato del 141 per cento rispetto al 68 per cento di quello degli uomini, a El Salvador nel 2006 è cresciuto del 111 per cento rispetto al 40 per cento degli uomini, e in Honduras nel 2007 del 166 per cento contro il 40 per cento.

In questa escalation, e nelle statistiche sulla criminalità, a spiccare è il Messico: Ciudad Juárez, insieme a Guatemala City, è considerata una delle città più violente del pianeta. A farne le spese sono soprattutto le donne, e oltre alle cifre è la brutalità degli omicidi a far parlare la cronaca internazionale. Ciudad Juárez non è assurta a simbolo del femminicidio solo per l'incidenza del fenomeno, ma anche per il coraggioso attivismo delle sue donne.

Situata nello stato di Chihuahua al confine con gli Stati Uniti, la città messicana è separata da El Paso in Texas solo da un fiume, il Rio Grande. La sua posizione ne fa un canale per tutti i migranti che vogliono passare illegalmente negli Stati Uniti. Segnata da una forte pressione demografica e da profonde disuguaglianze sociali, Ciudad Juárez è divisa tra una maggioranza della popolazione che cerca lavoro nell'industria manifatturiera e vive in estrema povertà, e un ristretto gruppo di famiglie molto ricche. Queste possiedono i terreni su cui sorgono i quartieri urbani e le *maquiladoras*, ovvero quelle imprese a capitale interamente straniero (di solito statunitense, ma anche giapponese e coreano) che impiegano manodopera locale senza pagare le imposte allo Stato, e che importano materiale da assemblare o montare per poi commercializzare il prodotto finito fuori dal Messico.

Secondo un rapporto delle Nazioni Unite del 2006, la combinazione di povertà e disuguaglianza con la vicinanza al confine statunitense ha portato alla diffusione di diverse forme di criminalità, dal traffico di droga alla tratta dei migranti, al riciclaggio.

Il 1993 è stato l'anno in cui il tema del femminicidio ha catturato l'attenzione dei media internazionali con la scoperta di cadaveri mutilati di donne stuprate e poi uccise nel deserto che circonda la città. Le fonti parlano di 740 donne ammazzate tra il 1993 e il 2009 e 4500 scomparse tra il 1993 e il 2004.

Lo schema degli omicidi si ripete drammaticamente: rapimento, tortura, violenza sessuale di gruppo, uccisione e mutilazioni, in particolare degli organi sessuali e del seno. In alcuni casi i cadaveri vengono decapitati, in altri i corpi nudi sono esposti in pubblico o gettati in aree urbane abbandonate. Nei casi peggiori, brandelli dei cadaveri sono sparsi in differenti zone della città con messaggi scritti su fogli di carta o direttamente sui corpi. Si tratta di omicidi efferati compiuti con il chiaro intento di annullare l'umanità, l'integrità e l'identità della persona uccisa.

Le vittime in genere hanno tra i 16 e i 24 anni, sono povere, lavorano come operaie oppure nei bar e nei nightclub della città. Le cause degli omicidi sono imputabili a fattori diversi e concomitanti che vanno dalla povertà all'instabilità delle istituzioni, alla droga, alla presenza di gang e alla cultura machista. Quest'ultimo fattore rappresenta un ulteriore detonatore della violenza contro le donne soprattutto quando queste ultime, tramite il loro lavoro, conquistano l'indipendenza economica o contribuiscono a sostenere la famiglia, mettendo in crisi il ruolo maschile tradizionale.

Secondo Marisela Ortiz Rivera, simbolo della lotta al femminicidio, fondatrice dell'organizzazione Nuestras Hijas de Regreso a Casa, il fenomeno potrebbe anche essere legato al mercato del sesso, alla produzione di *snuff movies* o alla «tratta di esseri umani». Per Ortiz altri fattori determinanti sono la corruzione di giudici, alti funzionari e imprenditori e non ultimo il narcotraffico: il Cartello di Juárez è uno dei più violenti e controlla il 70 per cento della droga che proviene dalla Colombia. Il legame di questa organizzazione criminale con la mafia e le istituzioni locali garantisce agli assassini protezione e impunità. Dopo aver ricevuto minacce di morte e subìto un tentativo di sequestro, oggi Marisela Ortiz Rivera è costretta a vivere in esilio negli Stati Uniti con la sua famiglia.

Un'altra donna messicana che ha contribuito in modo fondamentale a sensibilizzare l'opinione pubblica di tutto il mondo sul femminicidio è Marcela Lagarde. Antropologa, femminista e parlamentare, nel 2007 è stata promotrice della legge federale sull'«Accesso alle donne a una vita libera dalla violenza» che ha introdotto il reato di femminicidio nel codice penale federale.

Ni una mujer más è lo slogan contro il femminicidio che ha fatto il giro del pianeta. L'aveva inventato, poco prima della sua morte, la poetessa Susana Chávez per dire basta allo sterminio delle donne. Chávez, attivista per i diritti delle donne, pubblicava su riviste e quotidiani e aveva prestato il suo volto alla locandina di *16 en la lista*, un film sulle vittime del femminicidio di Ciudad Juárez. Susana è stata uccisa nella notte tra il 5 e il 6 gennaio del 2011 a soli 36 anni, e il suo assassinio è rimasto praticamente irrisolto, come la maggior parte di quelli avvenuti a Ciudad Juárez.

Il governo messicano e quello regionale di Chihuahua sono stati più volte richiamati perché non hanno fatto abbastanza per prevenire la violenza contro le donne e per consegnare gli assassini alla giustizia. Con la sentenza di Campo Algodonero il Messico è stato condannato anche dalla Corte interamericana dei diritti umani per tre casi di femminicidi avvenuti sul suo territorio. È stata la prima volta che una sentenza ha conferito un'identità giuridica a questo crimine, definendolo come un omicidio di una donna in quanto donna e una violazione dei diritti umani.

LA VIA DELL'AIDS

Sono 34 milioni le persone contagiate dall'HIV in tutto il mondo, tra queste 16 milioni sono donne e 3,3 bambini sotto i 14 anni. Nella sola Africa subsahariana i sieropositivi sono 23 milioni: è l'unica regione al mondo dove la percentuale di donne ammalate (60 per cento) è molto più alta di quella degli uomini. Nella fascia dei giovani dai 15 ai 24 anni questa percentuale sale fino al 76 per cento, contro il 24 per cento dei ragazzi. Questi sono i dati fotografati dall'ultimo rapporto sulla situazione mondiale dell'UNAIDS, il programma comune sull'HIV/AIDS delle Nazioni Unite.

Nello studio i dati positivi non mancano e testimoniano che gli investimenti nella prevenzione e nella diffusione delle cure hanno cominciato a sortire alcuni effetti con un calo delle morti per AIDS del 22 per cento in cinque anni e una riduzione del 15 per cento dei nuovi contagi da HIV negli ultimi dieci anni.

Dal 2001 anche nell'Africa subsahariana il numero delle nuove infezioni è sceso del 26 per cento, con un calo di un terzo in Sudafrica che in ogni caso rimane la nazione più contagiata del pianeta.

Nonostante i progressi, i numeri sono ancora allarmanti: un adulto su 20 è sieropositivo, e l'AIDS è la principale causa di morte, prima ancora della fame, della malaria e della tubercolosi. Qui le donne sono meno consapevoli degli uomini su come la malattia si trasmette e su come prevenirla. Quel poco che sanno è spesso inutile a causa delle discriminazioni e della violenza che subiscono e dell'impossibilità di negoziare sesso sicuro o di rifiutare rapporti specialmente con il marito.

La violenza è sia una causa sia una conseguenza dell'AIDS. Alcuni studi dimostrano una relazione molto stretta tra abusi sessuali e probabilità di contagio: molte donne rischiano di essere cacciate di casa o ripudiate quando la famiglia viene a sapere che sono positive all'HIV. Alla luce di questo, le strategie di prevenzione devono tenere conto delle ineguaglianze di genere nella vita sessuale e riproduttiva e del peso che hanno sulla trasmissione della malattia.

Sebbene dal 2005 le Nazioni Unite portino avanti il programma di prevenzione ABC le cui parole d'ordine sono Astinenza, Fedeltà e Preservativo (*Abstinence, Be Faithful, Correct and Consistent use of Condom*), c'è ancora molta reticenza da parte degli uomini a usare il preservativo.

Dal 1995 la nuova terapia antiretrovirale è riuscita a salvare 14 milioni di vite nei Paesi meno sviluppati (9 nell'Africa subsahariana); in particolare, negli ultimi due anni, l'accesso al trattamento HIV è aumentato del 63 per cento in tutto il mondo e del 59 per cento nell'Africa subsahariana, pari a più di due milioni di nuove persone in cura. In dieci anni il prezzo dei farmaci antiretrovirali si è nettamente ridotto: da circa 10.000 dollari a persona per anno agli attuali 100, rendendone possibile l'uso e la diffusione nei Paesi più poveri. La diminuzione del prezzo è il risultato di una lunga battaglia iniziata nel 2000 contro la «Big Pharma», che ha portato a un abbassamento dei costi e all'immissione sul mercato di farmaci generici prodotti dalla condivisione dei brevetti.

Tuttavia il divario tra le persone che hanno accesso al trattamento e quelle che ne hanno bisogno è ancora molto ampio: quasi il 46 per cento (7 milioni di malati) non hanno la possibilità di curarsi. Il problema del prezzo dei farmaci continua a essere critico per molti Paesi e, come sottolineano le agenzie e le associazioni che se ne occupano, i contributi per la lotta all'AIDS sono stagnanti. Per effetto della crisi economica i donatori non fanno fronte agli impegni presi in precedenza, mentre i fondi necessari da qui al 2015, secondo la stima di UNAIDS, si aggirano tra i 22 e i 24 miliardi di dollari all'anno.

SCHIAVE GLOBALI

Lila Aachraya, 29 anni, arriva in Libano tramite un'agenzia di intermediazione che le ha promesso un impiego decoroso, ma si trova costretta a lavorare in condizioni disumane e a subire molestie di ogni tipo. Tenta di andarsene, ma l'agenzia le chiede 2800 dollari per ridarle il passaporto. Dopo qualche mese di silenzio, i parenti apprendono la notizia della sua morte.

Stessa sorte per Vimla Wik, 31 anni, partita per il Kuwait nel settembre del 2009 dall'India per ritornarvi due anni dopo dentro una bara, morta suicida. I suoi parenti sapevano che nella famiglia dove lavorava come domestica era continuamente vessata e trattata da schiava.

Come migliaia di donne nepalesi e del Sudest asiatico emigrate nei Paesi del Golfo Persico, Rizana Nafeek, a soli 17 anni, lascia lo Sri Lanka per fare la baby-sitter in Arabia Saudita. Vi arriva nel 2005, ma dopo qualche mese il neonato di cui si occupa muore e lei viene arrestata con l'accusa di averlo strangolato. Senza alcuna prova, ma solo sulla base di una confessione estorta con la tortura, Rizana è condannata a morte per omicidio, sebbene all'epoca dei fatti non fosse neppure maggiorenne. Nonostante le denunce di Amnesty International e di Human Rights Watch, il 9 gennaio 2013 Rizana è stata giustiziata a Riad con la decapitazione.

Queste sono solo alcune delle tragiche storie raccontate nel libro-inchiesta di Vittorio Longhi. Definite «donne globali», sono tate, badanti, colf che emigrano dai loro Paesi d'origine per essere sfruttate o trattate come schiave.

Pur non volendo fare classifiche, tra le realtà dei flussi migratori quella nepalese appare una delle più allarmanti. Sarebbero infatti nell'ordine delle centinaia gli emigrati nepalesi che partono alla volta dell'Arabia Saudita, della Malesia e del Qatar per non fare più ritorno in patria. Anche se le versioni ufficiali delle autorità di questi Stati non lo ammettono, le cause dei decessi sono da imputare a omicidi o suicidi, soprattutto femminili, dovuti alle condizioni disumane di lavoro, agli abusi sessuali e alle molestie subite.

Secondo i dati della Banca mondiale, nel 2010, è emigrato dal Nepal il 3,3 per cento dell'intera popolazione. La maggior parte di questa forza lavoro è costituita da donne che tramite le rimesse dei loro stipendi da fame contribuiscono al 23,8 per cento del Pil del loro Paese, ma un terzo di loro non tornerà mai più in patria.

Su 100 migranti 68 sono donne che si incaricano di sostenere la propria famiglia, anche se rappresentano i soggetti più deboli e i bersagli più facili delle aggressioni fisiche, sessuali e psicologiche nei luoghi di lavoro. In Kuwait il fenomeno ha assunto proporzioni tali da spingere l'ambasciata nepalese ad aprire una struttura in cui ospitare le domestiche che tentano di fuggire dalla schiavitù.

La loro sorte è molto simile a quella di tante altre donne che emigrano dal Sudest asiatico. Lo Sri Lanka per esempio conta 1,8 milioni di lavoratori all'estero, di cui il 70 per cento sono donne.

Le multe irrisorie, le deboli condanne, quando non l'impunità dei colpevoli, sono state più volte denunciate dall'organizzazione non governativa Human Rights Watch, che accusa il sistema giudiziario di questi Stati di legittimare in tal modo la condotta scellerata dei datori di lavoro.

Tra tutti i settori, quello del lavoro domestico è considerato l'anello più debole, innanzitutto perché formato in maggioranza da donne e poi per la tendenza a considerarlo una questione privata tra datore di lavoro e domestico. Non ci sono sindacati per la categoria, non esistono contratti nazionali, standard salariali, ma solo la cosiddetta *kafala* (sponsorizzazione), una sorta di «adozione» che lega il dipendente a un unico datore di lavoro per tutta la durata del contratto. Sui compensi ci sono discriminazioni di genere e nazionalità, e le donne sono sempre pagate di meno.

Uno spiraglio in tema di regolamentazione si è aperto con la Convenzione internazionale sulle lavoratrici e sui lavoratori domestici adottata dalla Conferenza internazionale del lavoro a Ginevra nel giugno del 2011. Essa prevede che i domestici siano titolari degli stessi diritti riconosciuti agli altri lavoratori.

INFANZIA RUBATA

Sono migliaia le prostitute minorenni che affollano i 17 bordelli legali del Bangladesh, costrette ad avere rapporti con almeno sei clienti al giorno e a prendere steroidi - sotto forma di pasticche note come *cow pills* - per essere più in carne e vendibili sul mercato del sesso.

Questo farmaco si chiama Oradexon ed è usato in veterinaria per ingrassare le mucche da macellare, da qui il nome *cow pills*. È uno steroide che crea a lungo andare gravi danni fisici e dipendenza.

Secondo l'organizzazione non governativa ActionAid a farne uso sarebbe il 90 per cento delle prostitute tra i 15 e i 35 anni, e nella maggior parte dei casi non si tratta di una scelta volontaria.

A Faridpur, a Tangail, nell'isola di Bani Shanta si concentrano i principali bordelli del Paese. Ed è proprio qui che il sesso è considerato una delle più floride attività dell'economia locale. Per l'UNICEF le minorenni che ci vivono e lavorano sono almeno 10.000, ma stime non ufficiali triplicherebbero questo dato. Anche se non ci sono numeri certi sulla prostituzione, in molti non esitano a considerare il mercato del sesso uno dei principali motori dell'economia nazionale. Basti pensare al «giro» di Daulatdia, nel distretto di Faridpur, due ore a sudest dalla capitale Dacca, il più grande quartiere a luci rosse del Bangladesh, e forse del mondo, dove lavorano 1600 donne e passano circa 3000 uomini al giorno.

In un Paese di quasi 160 milioni di abitanti, dove il 40 per cento della popolazione vive al di sotto della soglia di povertà (vale a dire con meno di un euro al giorno), e il 48 per cento dei bambini sotto i cinque anni soffre di malnutrizione, la vendita di ragazzine è un fenomeno molto diffuso. In genere sono proprio le famiglie più povere di contadini a cedere le figlie per cifre che si aggirano intorno ai 20.000 taka (circa 190 euro). In zone depresse come il Bangladesh, la prostituzione di bambine e adolescenti finisce per essere considerata normale.

I dati sulla prostituzione del Bangladesh vanno a ingrossare le cifre impressionanti del mercato globale del sesso. L'Organizzazione internazionale del lavoro (ILO) stima infatti che siano 1.800.000 i bambini costretti a prostituirsi o coinvolti nell'industria del porno o del turismo sessuale, e per la maggior parte sono ovviamente di sesso femminile. Secondo l'ONU sono invece 220 milioni i bambini che nel mondo hanno subìto rapporti sessuali forzati o abusivi e di essi 150 milioni sono bambine. Il 10 per cento del totale ha fino a sei anni, mentre la stragrande maggioranza ha dai 13 ai 17 anni.

Secondo i dati dell'osservatorio dell'ECPAT (End Child Prostitution, Pornography and Trafficking), tra gli Stati a maggior rischio di sfruttamento sessuale minorile ci sono la Thailandia, il Kenya, la Cambogia, l'India, il Brasile, il Messico e la Repubblica Dominicana, che risultano non a caso tra le principali mete del turismo sessuale. Ma la prostituzione minorile è un fenomeno che affligge anche i Paesi industrializzati come il nostro. In Italia, ogni anno, arrivano centinaia di nuove baby prostitute. La mafia, in particolare quella albanese, ha sviluppato un ingranaggio di distribuzione delle minorenni talmente complesso da rendere quasi impossibile valutare e contrastare con efficacia la portata del fenomeno. Le bambine sono costrette a prostituirsi negli appartamenti, nei club privati e negli alberghi, non più sulle strade. Attualmente la percentuale nota di minorenni sul numero totale delle prostitute in Italia è del 7 per cento, con punte del 10 per cento in alcune zone.

Nel nostro Paese il *grooming* (adescamento on line dei minori), la pedopornografia e la pedofilia culturale sono entrati nel codice penale grazie alla ratifica dell'Italia della Convenzione di Lanzarote, accordo internazionale per contrastare lo sfruttamento e l'abuso sessuale dei minori. Fino a oggi sono 41 gli Stati, tutti appartenenti al Consiglio d'Europa, che hanno sottoscritto la Convenzione e 10 quelli che l'hanno ratificata. Il documento prevede l'impegno a rafforzare la protezione dei minorenni contro lo sfruttamento e l'abuso sessuale.

LA VIOLENZA DOMESTICA IN GIAPPONE

Con i tassi di omicidio, stupro, rapina, furto e aggressioni più bassi del mondo, le statistiche dell'United Nations Office on Drugs and Crime (UNODC) descrivono il Giappone come uno dei Paesi più sicuri a livello globale.

Eppure, nel 1996 un uomo uccide suo figlio a colpi di mazza da baseball: la notizia scuote l'opinione pubblica e suscita molti interrogativi su un fenomeno, quello della violenza domestica, evidentemente sommerso fino a quel momento. Il sospetto che nella società più sicura del mondo non tutto sia poi così sicuro comincia a farsi pesante. Devono passare alcuni anni, e nel 2001 la violenza domestica diventa per legge un reato penale. Da allora il termine *kateinai boryoku* («violenza domestica») entra ufficialmente nel vocabolario, e si spoglia della sua antica veste di tabù, ovvero di questione da risolvere nel privato della famiglia.

Nel 2008 le indagini del governo giapponese e dell'Agenzia nazionale della polizia rivelano che circa un terzo delle donne giapponesi ha subìto aggressioni fisiche, minacce psicologiche o coercizione sessuale dal proprio partner o dall'ex, e la metà non ne ha mai parlato con nessuno prima di essere intervistata. Seppur lentamente, la maggiore sensibilità nei confronti del fenomeno ha contribuito a far incrementare il numero delle denunce: nei primi sei mesi del 2012 sono aumentate del 46 per cento, di cui un terzo - ed è il dato più inquietante - incolpa se stessa delle violenze.

Come sottolinea l'ultimo rapporto del CEDAW sul Giappone (del 2009), il codice penale giapponese non persegue tutte le forme di violenza all'interno di una relazione tra partner.

Lo stato della legislazione su questa materia rispecchia pregiudizi di genere molto radicati nella società giapponese. La violenza domestica è l'espressione brutale di atteggiamenti patriarcali e di stereotipi sui ruoli e le responsabilità delle donne e degli uomini all'interno della famiglia e della società. Da qui derivano le diseguaglianze nei carichi e nei compiti domestici così come una posizione di svantaggio nel mondo del lavoro in termini di contratti, ruoli decisionali, salari e nella vita politica in termini di rappresentanza. In particolare le lavoratrici (comprese quelle part time) ricevono stipendi che equivalgono al 50-60 per cento di quello dei colleghi maschi. Nelle famiglie a doppio reddito i mariti dedicano in media 27 minuti al giorno al lavoro domestico e alla cura dei figli, mansioni che sono completamente demandate alle mogli. Non deve stupire che nella graduatoria del *Global Gender Gap* 2012, su 135 Paesi il Giappone figuri al 102° posto, subito dietro l'Italia, per le opportunità di partecipazione economica e rappresentanza politica delle donne.

Il CEDAW denuncia anche l'incidenza negativa della prostituzione e della crescente diffusione di materiale pornografico. In Giappone quello del sesso è un mercato molto vasto nonché controllato dalla criminalità organizzata. Sebbene illegale, la prostituzione è tollerata e ampiamente esercitata in «locali privati dedicati al sesso».

Anche la pornografia rappresenta un affare multimiliardario: basti pensare che la Tsutaya, la più grande catena di noleggio di video del Paese, offre ogni anno più di 1000 nuovi titoli porno, e circa 14.000 video per adulti sono prodotti in Giappone (contro i 2500 degli Stati Uniti).

Gravi – perché vanno a influenzare i giovani – sono le conseguenze della diffusione di cartoni animati e videogame, per lo più prodotti in Giappone, che simulano situazioni di stupri e violenze sessuali contro donne e bambine, come risulta da una segnalazione di Equality Now alla commissione del CEDAW. Tra questi ha fatto molto discutere *RapeLay*, un videogioco erotico in grafica 3D in cui il protagonista maschile perseguita e violenta ripetutamente una donna e le sue due figlie. Oltre ai videogame, altre forme estreme di pornografia e di perversioni sono diffuse dai manga e dai cartoni animati. Si tratta sempre di materiale molto accessibile il cui uso è socialmente accettato e considerato normale, anche perché non è giudicato pedopornografico dalla legge (acquisto e vendita sono legali, grazie all'«escamotage» di non usare immagini reali ma disegni). *Hentai*, che in giapponese significa «sessualmente perverso», è la definizione nella quale è annoverata questa vasta produzione destinata all'intrattenimento a sfondo sessuale.

MORTE A CAUSA DELLA DOTE NEI PAESI DELL'ASIA DEL SUD

Molto diffusa in alcuni Paesi dell'Asia meridionale (India, Pakistan, Bangladesh, Nepal), la morte per dote è un fenomeno che colpisce giovani spose, assassinate o spinte al suicidio dalle continue molestie e torture perpetrate dalla famiglia dello sposo per ottenere il pagamento della dote o per estorcere ai genitori della donna altro denaro, gioielli o beni di consumo se la dote è considerata insufficiente. Con l'evidente scopo di farlo passare per un incidente domestico e non avere problemi con la giustizia, le donne vengono in genere cosparse di cherosene e poi date alle fiamme vicino ai fornelli, in cucina. Nella maggior parte dei casi non bisogna neanche arrivare a tanto, poiché le torture e le angherie subìte portano le donne a suicidarsi impiccandosi, avvelenandosi o addirittura dandosi fuoco da sole.

Il sistema della dote ha le sue radici nel più comune dei riti religiosi e culturali associati al matrimonio hindu, il *Kanyadan*, ovvero la «consegna» della sposa allo sposo. Il significato originario di questo rito si è perso, e oggi il matrimonio avviene solo se la famiglia della sposa è in grado di pagare la dote, considerata una sorta di compensazione dei costi sostenuti dalla famiglia del marito per la sua istruzione ed educazione. Negli ultimi anni, l'aumento del benessere e dei consumi ha trasformato la dote in una nuova forma di status symbol, in particolare presso le classi elevate, dove l'entità del *corredo* non si limita più alla somma di denaro, ma comprende una serie di regali obbligatori (anche per i suoceri) che vanno dagli elettrodomestici alle automobili. In genere, il valore dei regali è stabilito in base allo stipendio e alla carriera del futuro marito.

Da rito religioso a status symbol, la degenerazione di questa pratica ha finito per farla diventare una forma di arricchimento o di finanziamento che può essere raddoppiata quando la moglie muore e il marito, libero di risposarsi, affronta un nuovo matrimonio e riceve una nuova dote. Il peso della dote, unito allo stress da sopportare per soddisfare le pesanti richieste dei consuoceri, sono tra i motivi che rendono la nascita di una figlia femmina un evento infausto. Senza contare il fenomeno, sempre più diffuso sia in India che in Bangladesh, di sfigurare con l'acido quelle ragazze che rifiutano pretendenti o proposte di matrimonio e contestano il sistema tradizionale. Le conseguenze sulle vittime sono terribili: cecità, sfregi, deturpazioni e morte.

I dati del National Crime Records Bureau indiano registrano un inquietante aumento dei casi: dai 400 del 1980 ai 5800 del 1990 (14 volte di più), fino ad arrivare agli 8391 del 2010, con un incremento del 53 per cento nell'ultimo ventennio. Non si può purtroppo dire che le condanne crescano di pari passo; nel 2008, a fronte di 8383 casi, ve ne sono state solo 1948. Più della metà delle morti violente di donne e ragazze nel 2009 sono da imputare alla dote. Come denunciano le associazioni del movimento femminista, si tratta di dati sottostimati che non inquadrano il fenomeno nelle sue corrette dimensioni: troppe le simulazioni di incidenti domestici, troppi i suicidi su istigazione su cui la polizia non si mette nemmeno a indagare.

La dimensione del fenomeno sorprende ancora di più se si pensa che dal 1961 in India vige il *Dowry Prohibition Act* che vieta la richiesta, il pagamento o l'accettazione della dote. Nonostante questa legge, l'incidenza di omicidi e suicidi non accenna ad arrestarsi.

Mentre scriviamo ci arriva l'ennesima triste notizia dell'omicidio per dote di Nikhat Kaiser: ci auguriamo che almeno possa darle giustizia il processo contro la famiglia del marito, sostenuto finanziariamente da AIDOS (Associazione italiana donne per lo sviluppo).

Non va diversamente negli altri Paesi dell'Asia meridionale, dove la dote resta un elemento indispensabile per il matrimonio e continua a essere uno dei fattori all'origine della violenza contro le donne. Il Pakistan ha una legge antidote dal 1976, il Bangladesh dal 1980 e il Nepal dal 2009, eppure le riforme non sono riuscite né a scoraggiare il sistema né a migliorare lo status delle donne nell'ambito del matrimonio.

Il sistema della dote naturalmente è criticato dalle organizzazioni per i diritti umani. Studi, ricerche e associazioni femministe non si fermano alla semplice condanna e suggeriscono la necessità di indagare e affrontare le condizioni che la rendono possibile, ossia il ruolo subordinato delle donne all'interno delle famiglie di origine e in quelle maritali, il controllo della loro sessualità e lo stigma sul divorzio. Tutti fattori che aiutano a inquadrare il fenomeno nel contesto più generale della violenza contro le donne in India. Dal 1971, anno in cui il National Crime Bureau ha cominciato a registrarli, gli stupri hanno avuto un incredibile aumento dell'871 per cento, tanto da arrivare addirittura a 26.206 casi nel 2011, di cui il 25 per cento solo a Nuova Dehli, diventata tristemente la capitale dello stupro.

DIRITTI CIVILI E VIOLENZA CONTRO LE DONNE NEI TERRITORI PALESTINESI

Lo stato civile in Cisgiordania è regolato dalla legge giordana del 1976, a sua volta basata sulla *sharia*, cioè il complesso di norme religiose, giuridiche e sociali fondate sulla dottrina coranica. Si tratta di leggi che riguardano sia ambiti teologici e morali sia fiscali, penali, processuali, promulgate dalle autorità laiche ed esercitate da tribunali religiosi che fanno capo all'Autorità Nazionale Palestinese (ANP).

Le regole del matrimonio in tutto il Medio Oriente si basano sulla legge islamica, ma sono state fortemente influenzate dalle tradizioni tribali che erodono i diritti delle donne sanciti nell'Islam, come quello a un divorzio dignitoso. Anche per questo, per anni, le organizzazioni palestinesi per i diritti delle donne hanno chiesto una riforma della legge: quella in vigore fino all'agosto del 2012, infatti, impediva alle donne di separarsi senza l'accordo del coniuge, a meno che non dimostrassero in tribunale che il marito fosse negligente o violento, avvalendosi di prove tangibili dei maltrattamenti subìti e affrontando processi lunghissimi e costosi.

Nel luglio del 2012 i giornali e le tv palestinesi hanno parlato per giorni della tragedia di Nancy Zaboun, una giovane di 27 anni, madre di tre figli, sgozzata in pieno giorno tra le stradine del mercato di Betlemme dal marito violento, un ex agente della polizia da cui stava cercando di divorziare dopo una vita di minacce e violenze domestiche.

Da anni Nancy si batteva per la sua libertà in tribunale, e sebbene fosse stata più volte ricoverata in ospedale a causa degli abusi subiti e avesse dalla sua il supporto di un locale centro antiviolenza, la polizia si era sempre limitata a strappare all'uomo la generica promessa di comportarsi meglio.

L'assassinio di Nancy Zaboun ha però provocato un'ondata di indignazione e manifestazioni in tutta la Palestina, tale da indurre il ministro per gli Affari delle donne nel governo dell'ANP, Rabiha Diab, a stigmatizzare pubblicamente l'operato della polizia «per la totale incapacità di impedire una tragedia annunciata».

Quella suscitata dall'uccisione della Zaboun non è stata la prima mobilitazione spontanea. A squarciare il velo di silenzio sulla violenza perpetrata contro le donne nei territori palestinesi erano state, l'anno prima, le reazioni indignate dell'opinione pubblica di fronte al caso di una giovane gettata viva dal cugino in un pozzo del suo villaggio. In quel caso le proteste avevano spinto il presidente dell'ANP, Abu Mazen, ad annunciare in tv la revisione della legge e la cancellazione delle attenuanti previste per il delitto d'onore. Negli ultimi due anni, secondo i dati della Commissione palestinese per i diritti umani, sono emersi altri 25 casi di donne uccise dai loro familiari.

Il sacrificio di Nancy Zaboun è servito se non altro per compiere un ulteriore passo avanti verso l'aggiornamento delle leggi sul divorzio. Alla fine dell'agosto del 2012 lo Sheikh Yousef Al-Dais, il capo delle Corti islamiche che amministrano la giustizia in Cisgiordania, ha fatto introdurre nuove norme: ora le donne possono ottenere il divorzio senza l'obbligo del consenso del marito.

Nonostante le novità introdotte, c'è ancora molto da fare: la legge prevede tuttora che la custodia dei figli venga affidata alla madre soltanto fino alla pubertà, per poi passare al padre. Non solo: in caso di nuovo matrimonio, la madre divorziata perde automaticamente l'affidamento.

LA TRATTA DI PERSONE A SCOPO DI SFRUTTAMENTO SESSUALE

La tratta di persone può essere definita la versione moderna della schiavitù. Fin dal 1948 la Dichiarazione universale dei diritti umani ha bandito ogni forma di schiavitù e servitù e il commercio di schiavi, ma le dimensioni assunte dal fenomeno per via della globalizzazione, dei grandi flussi migratori e del ruolo svolto dalla criminalità organizzata hanno spinto le Nazioni Unite ad adottare una nuova definizione. La Convenzione contro la criminalità organizzata transnazionale (2000) rappresenta oggi lo strumento più avanzato per la lotta contro il crimine organizzato e dimostra la consapevolezza degli Stati membri sulla gravità del problema e sulla necessità di una stretta collaborazione internazionale per affrontarlo.

Al di là delle ragioni morali legate ai diritti umani, la tratta è ovviamente un ostacolo enorme allo sviluppo di un Paese. Infine, come per il traffico di droga, la tratta di esseri umani si basa sulla corruzione (della polizia, dei funzionari dell'immigrazione per esempio), e nel lungo periodo distrugge la fiducia dei cittadini nelle istituzioni e nel governo.

Purtroppo la tratta è invece un'attività ad altissimo rendimento per la criminalità organizzata, seconda solo al traffico di droga. Nel 2005 l'ILO ha stimato che più di 2,5 milioni di persone nel mondo sono sfruttate sessualmente o economicamente come vittime del traffico (sia transnazionale sia all'interno dei Paesi), con un profitto annuale di circa 31 miliardi di dollari. Sebbene sia difficile individuare l'origine delle vittime, è probabile che la grande maggioranza provenga dai Paesi in via di sviluppo e che sia destinata per il 70 per cento in Asia e nell'area del Pacifico. In particolare le principali mete sono Stati Uniti, Canada, Unione Europea, Giappone e Australia, ma anche Arabia Saudita e Turchia. In Europa i flussi sono gestiti dai Paesi dell'area balcanica e da quelli dell'ex Unione Sovietica.

Il reclutamento avviene spesso attraverso l'inganno. Sulla base di un legame di fiducia la vittima accetta di partire con la promessa di una vita migliore, ma, dal momento in cui arriva a destinazione, non è più una persona libera. Trattenuta contro la propria volontà, costretta a lavorare o a prostituirsi, il «contratto» con i suoi nuovi padroni si svolge sempre in condizioni di sfruttamento estremo. A volte la relazione è basata su una «servitù da debito», in cui la vittima per riscattare la sua libertà è costretta a pagare una cifra che non sarà mai in grado di mettere insieme. La maggioranza dei profitti finisce nelle attività delle organizzazioni criminali come il riciclaggio di denaro, il traffico di droga, la falsificazione di documenti e la corruzione.

Fin dai primi anni Novanta, l'Italia è stata una meta e un luogo di passaggio per la tratta delle prostitute. Se all'inizio le aree coinvolte dal fenomeno erano il Nord e il Centro, dal 2000 si è registrato un aumento delle presenze anche nelle regioni meridionali. Oltre al desiderio di migliorare le proprie condizioni, tra i principali fattori di attrazione del nostro Paese vi sono storie di successo dei migranti che tornano in patria, il mito dell'Occidente ricco veicolato dai media, l'aspirazione a emanciparsi da ambiti sociali e familiari patriarcali e violenti.

Le vittime della tratta sono in maggioranza donne adulte tra i 20 e i 30 anni. Negli ultimi tempi l'età si è molto abbassata: oltre all'area del reclutamento, ha influito su questa tendenza la domanda dei clienti che fa delle adolescenti un «prodotto altamente redditizio», benché più rischioso. Il reclutamento, l'assoggettamento e lo sfruttamento variano in base al gruppo etnico di appartenenza.

Il sistema nigeriano, per esempio, è fondato sulle servitù da debito (*debt bondage*), ossia sul debito che la donna deve saldare alla cosiddetta *maman* che rappresenta l'organizzazione.

L'assoggettamento delle donne è garantito dalla forza di persuasione dei rituali tradizionali (voodoo e *ju-ju*) e, spesso, dalla stipula di contratti firmati in patria di fronte a notai consenzienti. Le donne si ritrovano dunque a dover rispettare il patto con l'organizzazione per dovere morale individuale o per l'influenza magica e religiosa dei potenti riti tradizionali. Controllata interamente da donne, questa attività ha visto negli ultimi tempi emergere figure maschili (*maman-boys* o *black boys*), in genere fidanzati e mariti delle *maman*, cui spetta il compito di sorvegliare le donne sfruttate e di investire parte dei profitti in attività legali (phone center, agenzie di money transfer, negozi di vendita al dettaglio) e illegali (traffico di sostanze stupefacenti), spesso in collaborazione con organizzazioni criminali italiane.

Non esistono dati ufficiali sul numero delle persone trafficate in Italia a scopo di sfruttamento sessuale. Quelli disponibili sono parziali e si riferiscono al numero delle donne che denunciano di essere vittime di tratta o entrano in programmi di protezione. Dal 2003 in Italia esiste la legge 228 contro la tratta di persone che offre alle vittime uno spiraglio legale per uscire da quella condizione.

In base ai dati del Dipartimento Distrettuale Antimafia le persone trafficate dal 2000 al 2006 sono state 11.541. Sulla base dei casi denunciati, il centro di ricerca Transcrime ha stimato che le vittime della tratta in Italia tra il giugno 1996 e il giugno 2001 sono state da un minimo di 27.410 a un massimo di 54.820.

In Italia è attivo un Numero Verde antitratta 800 290 290 istituito dalla Presidenza del Consiglio dei Ministri - Dipartimento per le Pari Opportunità tra le azioni di contrasto del fenomeno previste dalle legge italiana.

LE MUTILAZIONI GENITALI FEMMINILI

«Tutte le procedure che comportano la rimozione parziale o totale dei genitali esterni femminili o altri interventi dannosi sugli organi genitali femminili tanto per ragioni culturali che per altre ragioni non terapeutiche» sono considerate, secondo le definizioni dell'Organizzazione mondiale della sanità e dell'UNICEF, mutilazioni genitali femminili o cutting (MGF).

Le MGF sono una pratica tradizionale profondamente radicata nella cultura e nell'organizzazione sociale di alcune comunità che vivono nelle regioni occidentali, orientali e nordorientali dell'Africa, in alcune zone dell'Asia e del Medio Oriente, ma sono praticate anche da talune comunità immigrate in Nord America e in Europa, dove coinvolgono le migranti di prima e, parzialmente, di seconda generazione.

Queste pratiche non rappresentano solo un retaggio culturale tradizionale, ma anche una forma di violenza contro le ragazze o le bambine.

A seconda dei Paesi e delle tradizioni, le mutilazioni vengono praticate alla nascita o nell'adolescenza e comprendono varie procedure, dall'asportazione o cauterizzazione del clitoride e/o delle labbra vaginali al restringimento dell'orifizio vaginale. In genere sono le donne più anziane a farsene carico, servendosi di mezzi rudimentali come lame di rasoio, forbici o coltelli, in condizioni molto critiche dal punto di vista igienico-sanitario. Il rischio di infezioni e di emorragie che possono provocare la morte sono infatti tra le prime conseguenze delle MGF. Se non muoiono per una di queste cause, le ragazzine che le subiscono dovranno convivere per il resto della loro vita adulta con una serie di effetti devastanti per la salute fisica (dolori dovuti alle ferite, difficoltà a urinare, infezioni pelviche e del tratto urinario, infertilità, difficoltà nei rapporti sessuali, complicanze nel parto) e psicologica (frigidità, difficoltà nel raggiungere l'orgasmo, incapacità di avere normali rapporti sessuali).

Le origini delle MGF sono sconosciute, ma ovunque rappresentano una componente fondamentale dei riti di iniziazione attraverso i quali, nelle società tradizionali, si diventa donne. Nei Paesi in cui vengono praticate il requisito indispensabile per il matrimonio è la verginità e le MGF dovrebbero servire a impedire rapporti al di fuori dal matrimonio. È credenza diffusa, infatti, che la donna non mutilata sia incapace di rimanere fedele per propria scelta, mentre da mutilata diventi più docile, casta e pura, e quindi in grado di mantenere integro l'onore della famiglia.

Le MGF rappresentano una violazione dei diritti umani delle donne e delle bambine e fin dal 1979 sono state incluse nella Convenzione per l'eliminazione di tutte le forme di discriminazione contro le donne e, dieci anni dopo, nella Convenzione per i diritti dei bambini. In particolare la Conferenza mondiale delle Nazioni Unite sulle donne del 1995 ha evidenziato per la prima volta come le mutilazioni riflettano una profonda diseguaglianza tra i sessi e costituiscano una forma estrema di discriminazione contro le donne e una violazione dei diritti dei bambini.

Nel 2008 l'Organizzazione mondiale della sanità ha stimato che nel mondo le donne e le bambine che vivono con le conseguenze delle MGF siano tra i 100 e i 140 milioni, e che 3 milioni di minori sono a rischio di subire tali pratiche ogni anno. Tra le comunità migranti residenti in Europa, allo stato attuale non sono disponibili dati completi sul numero delle donne che hanno subìto mutilazioni e delle bambine a rischio.

Nella maggioranza dei Paesi membri della UE, le MGF sono perseguibili penalmente. In Italia è in vigore dal 2006 la legge in cui viene istituito il divieto di praticarle, prevedendo anche la promozione di numerose attività di contrasto e prevenzione.

Il 20 dicembre 2012 l'assemblea generale dell'ONU ha approvato la risoluzione dal nome *Intensificare gli sforzi globali per l'eliminazione delle mutilazioni genitali femminili.* La risoluzione esorta gli Stati membri a condannare questa pratica, ma anche a promuovere programmi ad hoc nel settore sociale ed educativo. La sua adozione formale è il risultato di una campagna internazionale guidata da una coalizione composta da Non c'è Pace Senza Giustizia, dal Comitato InterAfricano sulle pratiche tradizionali, da Euronet-FGM e dalle organizzazioni non governative La Palabre, Manifesto 99 ed Equality Now.

Il 6 febbraio si celebra in tutto il mondo la Giornata Mondiale contro l'infibulazione e le mutilazioni genitali femminili.

LA CONDIZIONE DELLE DONNE NELLA FEDERAZIONE RUSSA

La violenza domestica in Russia, il Paese più grande del mondo, è un fenomeno endemico: è diffusa in tutte le 89 regioni che la compongono, in famiglie di status e appartenenza etnica diversi, nelle aree rurali e urbane. Secondo il rapporto che il governo della Federazione ha preparato per il CEDAW nel 2009, sono circa 14.000 le donne uccise ogni anno da mariti o parenti, circa una all'ora, ma si tratta di numeri senz'altro sottostimati perché le statistiche sul fenomeno sono frammentarie se non inesistenti (per fare un confronto immediato, durante il conflitto russo-afghano in 10 anni sono caduti 14.000 soldati russi).

Recenti ricerche, sia di fonte governativa sia di organizzazioni indipendenti, dicono che la violenza nelle sue varie forme è presente in una famiglia su quattro, che due terzi degli omicidi sono causati da motivi familiari, che più del 40 per cento dei crimini violenti sono commessi in ambito domestico e infine che il numero complessivo di questi atti si aggira approssimativamente tra i 30.000 e i 40.000 all'anno. Gli studi sul fenomeno indicano inoltre la costante crescita dei reati accertati. Tra le forme di violenza domestica più insidiose e nascoste c'è quella economica, che nel Paese ha un'incidenza particolare se si considera che le donne rappresentano circa il 60 per cento dei disoccupati e quando lavorano guadagnano più o meno il 60 per cento in meno rispetto agli uomini.

Le radici del fenomeno vanno cercate nello squilibrio di potere tra uomini e donne oltre che nell'abuso di droghe e alcol, nella povertà e nel disagio sociale.

L'emancipazione femminile è stata considerata una componente essenziale del socialismo e fin dal 1918 la costituzione dello Stato sovietico aveva stabilito che «le donne hanno gli stessi diritti degli uomini». Marina Pisklakova, direttrice di ANNA, il primo centro antiviolenza per le donne russe, spiega che «lo Stato sovietico ha alimentato il mito di una società ideale in cui la violenza domestica non può esistere ufficialmente, allora se eri una donna vittima di maltrattamenti, avevi sbagliato tu, come donna e come moglie. La donna aveva la responsabilità di creare l'atmosfera giusta in famiglia, di mantenere in vita l'ideale, ed ecco perché oggi nei centri arrivano donne che hanno subìto tacitamente violenza per ventisei anni».

In Russia non esiste un quadro legislativo che regoli le relazioni tra i membri della famiglia, non c'è una legge specifica contro la violenza domestica che stabilisca le funzioni delle forze dell'ordine, implementi servizi specifici per la protezione delle vittime e assicuri i colpevoli alla giustizia. A causa delle lacune legislative le donne sono protette solo parzialmente ed è molto difficile provare i reati di violenza domestica, anche quando le prove dei maltrattamenti sono evidenti. Il sistema giudiziario russo considera la violenza commessa in un luogo pubblico contro uno sconosciuto un pericolo sociale ben più grave della stessa identica azione compiuta all'interno della famiglia contro un parente.

Ad aggravare la situazione c'è la forte carenza di politiche di prevenzione e di servizi di supporto alle vittime. Secondo uno studio di ANNA, in Russia, a fronte di una popolazione femminile che nel 2010 contava circa 77 milioni di donne, sono presenti solo 23 centri antiviolenza pubblici e circa 200 letti nelle strutture di accoglienza; delle circa 300 linee telefoniche di aiuto dedicate alle crisi familiari (compresa la violenza domestica), solo poche operano sette giorni su sette e ventiquattro ore su ventiquattro.

Dopo il Sudest asiatico, l'area dell'Europa Centrale e dell'Est (ex Unione Sovietica) è al secondo posto nel mondo per le dimensioni del traffico di esseri umani. La Russia è al contempo Paese di origine, di transito e di destinazione del traffico. Migliaia di donne russe finiscono ogni anno nell'Unione Europea e nel Sudest asiatico, mentre il territorio russo è a sua volta meta del traffico di donne provenienti da Ucraina, Moldavia, Bielorussia e Asia Centrale. Le donne russe sono sfruttate sessualmente in Medio Oriente, Canada, Nuova Zelanda, Thailandia e Vietnam. Le vittime sono per l'80 per cento donne e bambini, di cui il 70 per cento viene venduto per il mercato sessuale. Secondo alcuni esperti, a Mosca ci sarebbero tra i 20.000 e i 30.000 bambini e bambine sfruttati sessualmente.

Quanto all'estensione del fenomeno nel Paese, uno

studio economico sottolinea una recente tendenza alla crescita: «La facile redditività della prostituzione ne ha giustificato la diffusione. La cifra d'affari prodotta dalle prostitute professionali dal 2000 a oggi (2010 *N.d.R.*) supererebbe i 900 milioni di dollari - 710 milioni di euro - ma se ne sta diffondendo anche una nuova forma che coinvolge donne che si prostituiscono occasionalmente per la ricerca di guadagni materiali in surplus; il fenomeno si estende alle studentesse disposte a prostituirsi per concedersi piccoli piaceri in più: alcol e droga, per esempio». Questa forma di prostituzione è in larga espansione perché permette di avere uno stile di vita alto malgrado un debole livello salariale o una scarsa specializzazione professionale.

Non esistono dati affidabili su tratta e prostituzione, mentre i servizi esistenti a supporto delle vittime sul territorio russo sono tutti finanziati da fondi esteri.

INFANTICIDIO FEMMINILE

Nel 1990 il premio Nobel Amartya Sen richiamò l'attenzione mondiale sul fatto che in alcuni Paesi dell'Asia mancassero all'appello circa 100 milioni di donne. Le stime più recenti dell'UNFPA indicano che le «missing women» sono circa 117 milioni.

L'infanticidio femminile, praticato nel corso della storia in tutti i continenti e da persone di ogni provenienza sociale, è ancora oggi un problema critico in molti Paesi, dove è sempre più collegato alla pratica dell'aborto selettivo dei feti femminili.

Dal punto di vista biologico il rapporto numerico tra sessi alla nascita è quasi pari. Negli ultimi decenni in una vasta area dell'Asia (India, Bangladesh, Cina, Corea del Sud, Pakistan) questo rapporto ha visto una diminuzione drastica delle nascite femminili. Lo squilibrio a favore dei neonati maschi è concordemente attribuito alla selezione determinata dal sesso resa oggi possibile dalla maggiore disponibilità di tecnologie che consentono la diagnosi precoce del sesso del nascituro.

Le cause di questa tendenza vanno ricercate nella tradizionale preferenza per il figlio maschio, nella discriminazione contro le donne all'interno dei sistemi matrimoniali e nelle norme sull'eredità che in numerose società è ancora riservata ai soli figli maschi. Severe politiche di contrazione demografica (si veda quella del figlio unico in Cina) non hanno fatto che rinforzare la preferenza culturale per la prole maschile. Perciò le donne sono spesso sottoposte a pressioni estenuanti affinché facciano figli maschi, e i fallimenti possono portare alla violenza, al ripudio o addirittura alla morte.

In India l'ultimo censimento del 2011 ha segnalato un ulteriore peggioramento nel divario tra sessi: 914 femmine ogni 1000 maschi.

Negli ultimi anni, il boom economico combinato alla maggiore efficienza delle tecniche predittive e - per molti - all'influenza delle lobby dei medici e dei produttori di macchine a ultrasuoni, non ha fatto che accrescere le dimensioni del problema, portando il Parlamento indiano ad aggiornare il suo sistema legislativo. Così, nel 1994 è passata la legge che vieta la diagnosi precoce del sesso, nel 2004 quella che permette alle figlie di ereditare le proprietà familiari alla pari dei fratelli maschi, e nel 2007 un'altra che prevede che figlie e figli abbiano pari responsabilità nell'accudimento dei genitori in proporzione alla quota di eredità. Nonostante questi interventi, il fenomeno è ancora molto diffuso.

Altrettanto grave la situazione in Cina, dove l'infanticidio delle bambine risale al 2000 a.C. e tale pratica ha subìto forti accelerazioni in periodi di povertà e carestia. Uno studio suggerisce che il numero stimato di bambine mancanti nel XX secolo sia di 35,59 milioni, pari al 4,65 per cento della popolazione. Anche in questo Paese la preferenza per il maschio è legata alle modalità di trasmissione dell'eredità e della proprietà della terra. Sebbene il periodo maoista abbia rappresentato una rottura rispetto al modello della famiglia tradizionale (con l'abolizione della proprietà privata dell'eredità), le grandi riforme economiche successive al 1979, coincise con il lancio della politica del figlio unico, hanno riportato in auge la preferenza per il figlio maschio.

Il governo cinese ha intrapreso una serie di azioni per combattere la pratica dell'infanticidio femminile e dell'aborto selettivo. Tra queste c'è la legge sul matrimonio e sulla protezione delle donne che proibisce l'infanticidio delle bambine e la discriminazione delle madri di figlie femmine. Nel 1994 è stato invece vietato l'uso di tecnologie per l'identificazione del sesso del feto, ma nonostante questo intervento i medici continuano a usarle soprattutto nelle aree rurali. Il governo cinese ha pure promosso una campagna per sostenere il valore delle ragazze (*Care for Girls*) attraverso la programmazione di messaggi positivi ai genitori e la creazione di abitazioni e pensioni per genitori di femmine nelle aree rurali.

Molti esperti sottolineano che la maggioranza di maschi in alcune popolazioni dov'è diffusa la selezione prenatale del sesso provocherà un impatto significativo sui mercati matrimoniali delle prossime generazioni, poiché molti uomini non troveranno coetanee da sposare. Questo squilibrio sta già generando un aumento della violenza verso le donne (rapimenti, traffico di donne e ragazze, sfruttamento sessuale).

Nel 2011 cinque agenzie delle Nazioni Unite hanno

diffuso un documento congiunto di condanna delle pratiche di predeterminazione e di selezione in base al sesso. Nel 2012 la questione è stata affrontata anche dalla relatrice speciale contro la violenza sulle donne delle Nazioni Unite.

Qualche buona notizia

Dappertutto in Europa la situazione delle donne presenta differenze marcate tra gli Stati, e ovunque sono ancora presenti carenze democratiche. Il compito dei legislatori e dei politici sarà quello di cambiare, aggiornare e migliorare. Uno strumento sicuramente utile da consultare potrebbe essere lo studio effettuato dall'associazione francese *Choisir la cause des femmes*, che ha analizzato le leggi più favorevoli ai diritti delle donne tra le migliori dei ventisette Stati membri dell'Unione Europea: una sintesi di leggi e buone pratiche che, messe insieme, ci aiuterebbero finalmente a raggiungere un parametro legislativo ideale contro ogni discriminazione.

A volte copiare può essere molto utile.

Educazione sessuale

La Danimarca per l'educazione alla sessualità fin dalla scuola elementare e per i centri di pianificazione familiare.

Contraccezione

I Paesi Bassi per l'accesso diretto, libero e gratuito alla contraccezione. Lo Stato assicura l'informazione, la disponibilità e la gratuità per le donne adulte e le minorenni.

Aborto

La Svezia per il rispetto dell'autodeterminazione della donna nel disporre del proprio corpo: la pillola abortiva è autorizzata e rimborsata.

Matrimonio

L'Austria per la preminenza data al matrimonio civile ma anche la Spagna per il matrimonio omosessuale.

Divorzio

La Spagna per l'ottenimento del divorzio non subordinato a una causa o a un periodo di riflessione; e per l'obbligo degli alimenti.

Contratti d'unione civile

Il Belgio per i contratti aperti agli etero e agli omosessuali e garanti di elevati diritti.

Congedi parentali

La Svezia per l'alto livello di remunerazione.

Autorità parentale

L'Estonia per l'esercizio congiunto in caso di separazione e il Belgio per l'attribuzione giuridica dell'autorità a uno dei genitori e al suo congiunto o convivente qualunque sia il suo orientamento sessuale.

Violenza coniugale

La Spagna per la legge integrale contro la violenza di genere e la lotta contro gli stereotipi a scuola; per le misure di protezione d'urgenza e i centri di accoglienza per le vittime; per la formazione degli interlocutori dei servizi pubblici; e per i tribunali specializzati.

Stupro

La Francia per la definizione della violenza come crimine contro la persona; per il processo a porte chiuse su richiesta della vittima; per la possibilità delle associazioni di costituirsi parte civile.

Prostituzione

La Svezia per l'abolizione di fatto della prostituzione; per la penalizzazione del cliente; per l'impunità accordata alle prostitute; per la creazione di centri di accoglienza con attenzione particolare alle vittime della tratta; per le campagne di informazione.

Molestie

La Lituania per le disposizioni presenti sia nel codice del lavoro che nella legge sulla parità tra uomo e donna.

Lavoro

La Francia per il codice del lavoro che riprende le maggiori conquiste sociali e per il suo regime pensionistico fondato sulla logica della solidarietà.

Politica

Il Belgio per la necessaria parità tra uomini e donne anche nel Consiglio dei Ministri e nei governi delle regioni e dei comuni; per la parità assoluta delle quote di partecipazione in tutte le elezioni.

Violenza contro le donne: definizioni

La Dichiarazione delle Nazioni Unite sull'eliminazione della violenza contro le donne (1993) ha definito quest'ultima nel contesto delle violazioni dei diritti umani e, nell'articolo 1, designa come tali tutti gli atti di violenza fondati sull'appartenenza al sesso femminile, che causano o possono causare alle donne danno o sofferenze fisiche, sessuali e psicologiche, comprese la minaccia di tali atti e la coercizione o la privazione arbitraria della libertà, sia nella vita pubblica sia nella vita privata.

Nell'articolo 2 la dichiarazione specifica che la violenza contro le donne riguarda principalmente:

a) la violenza fisica, sessuale e psicologica che avviene nella famiglia, inclusi i maltrattamenti, gli abusi sessuali delle bambine nel contesto domestico, le violenze legate alla dote, lo stupro coniugale, la mutilazione genitale femminile e altre pratiche tradizionali dannose per le donne, la violenza perpetrata da altri membri della famiglia e la violenza legata allo sfruttamento;

b) la violenza fisica, sessuale e psicologica che avviene all'interno della comunità in generale, compresi lo stupro, l'abuso sessuale, le molestie e l'intimidazione sul posto di lavoro, nelle istituzioni educative e altrove, la tratta delle donne e la prostituzione forzata;

c) la violenza fisica, sessuale e psicologica perpetrata o tollerata dallo Stato, ovunque si manifesti.

L'ONU e l'Unione Europea definiscono violenza di genere: «Una violenza che si annida nello squilibrio relazionale tra i sessi e nel desiderio di controllo e di possesso da parte del genere maschile sul femminile».

Principali tipologie

Di seguito sono elencate le tipologie di violenza contro le donne come declinate dalla letteratura internazionale.

Atti persecutori

Condotte reiterate nel tempo tese a far sentire la vittima controllata e in uno stato di pericolo e tensione costante, tale da cagionare un perdurante e grave stato di ansia o di paura o di ingenerare un fondato timore per la propria incolumità o quella di persona vicina (parente, amico, ecc.), portando a modificare le proprie abitudini di vita.

Matrimoni forzati

Possono essere classificati come matrimoni forzati una moltitudine di fattispecie tra loro diverse che hanno come comune denominatore il fatto che una o entrambe le parti non abbiano espresso il pieno e libero consenso all'unione e agiscano in quanto sottoposti a violenza fisica e/o psicologica, pressione sociale o intimidazioni.

Mutilazioni genitali femminili (MGF) o ablazione

Definita l'Organizzazione Mondiale della Sanità indica con quali termini la rimozione totale o parziale dei genitali esterni o altri danni agli organi genitali femminili, arrecati per ragioni culturali o di altro genere a carattere non terapeutico.

Tratta di donne e bambine

Nei protocolli della Convenzione possiamo leggere una definizione ampia e precisa del fenomeno: «La "tratta di persone" indica il reclutamento, il trasporto, il trasferimento, l'ospitare o l'accogliere persone tramite l'impiego o la minaccia di impiego della forza o di altre forme di coercizione, di rapimento, frode, inganno, abuso di potere o di una posizione di vulnerabilità o tramite il dare o ricevere somme di denaro o vantaggi per ottenere il consenso di una persona che ha l'autorità su un'altra a scopo di sfruttamento. Lo sfruttamento comprende, come minimo, lo sfruttamento della prostituzione altrui o altre forme di sfruttamento sessuale, il lavoro forzato o prestazioni forzate, schiavitù o pratiche analoghe, l'asservimento o il prelievo di organi; il consenso di una vittima della tratta di persone allo sfruttamento è irrilevante nei casi in cui qualsivoglia dei mezzi usati è stato utilizzato».

Violenza economica

Privazione intenzionale e non giustificata delle risorse destinate al benessere fisico o psicologico di una donna e, se presenti, delle loro figlie/figli; limitazione della disponibilità delle risorse proprie o comuni nell'ambito familiare o di coppia.

Violenza fisica

Ogni forma d'intimidazione o azione in cui venga esercitata una violenza fisica sul corpo della donna, con il risultato o il rischio di causarle una lesione o un danno.

Violenza psicologica

Qualsiasi azione o omissione intenzionale che producano su una donna svalorizzazione o sofferenza, o qualsiasi limitazione della portata della libertà.

Violenza sessuale e abusi sessuali

Ogni atto di natura sessuale che avvenga senza il consenso della donna, indipendentemente dal fatto che l'aggressore possa avere con la donna un rapporto coniugale, di coppia, emotivo o di parentela.

Strumenti

Siti istituzionali

Portale Antiviolenza Donna - Rete internazionale antiviolenza e servizio 1522

Il sito del Dipartimento per le Pari Opportunità della Presidenza del consiglio dei ministri con tutte le informazioni sul piano nazionale antiviolenza, le azioni del governo per la prevenzione e il contrasto della violenza di genere e lo stalking. In esso viene illustrato il servizio di pubblica utilità 1522 e i numeri verdi attivi per la tratta e le mutilazioni genitali femminili.

http://www.antiviolenzadonna.it/

Dipartimento per le Pari Opportunità - Presidenza del consiglio dei ministri

Obiettivo del sito governativo è quello di consentire un adeguato sviluppo dell'azione di informazione e divulgazione delle tematiche di pari opportunità nella nuova programmazione comunitaria.

www.pariopportunita.gov.it

Centri antiviolenza Italia
D.*i*.Re

Donne in Rete contro la violenza (D.i.Re) raccoglie in un unico progetto sessanta associazione femminili che affrontano il tema della violenza maschile sulle donne. L'associazione D.*i*.Re intende dare visibilità ai Centri Antiviolenza e alle Case delle Donne presenti sul territorio nazionale, dal sito è possibile raggiungere indirizzi e contatti dei centri aderenti.

http://www.direcontrolaviolenza.it

Fonti, dati e statistiche

Istat

Nell'archivio dedicato alla violenza dell'istituto di statistica si trovano i dati delle indagine sulla violenza e i maltrattamenti contro le donne dentro e fuori la famiglia, sulle molestie sul luogo di lavoro, sulla sicurezza, sui reati e sulla percezione della sicurezza.

http://www.istat.it/it/archivio/violenza

Eures

La banca dati sugli omicidi dolosi in Italia raccoglie informazioni a partire dal 1990 e consente di realizzare approfondimenti specifici su singoli aspetti e/o caratteristiche del fenomeno omicidiario.

http://www.eures.it

Eurostat

Questa sezione del sito di Eurostat è dedicata a statistiche e indicatori sul genere.

http://epp.eurostat.ec.europa.eu

Eurobarometro

Contiene l'indagine speciale *Domestic Violence against Women Report.*

http:/ec.europa.eu

Rete per le Pari Opportunità

Dipartimento per le Pari Opportunità - Presidenza del consiglio dei ministri. Contiene i rapporti delle ricerche e dei progetti finanziati dal Dipartimento.

http://www.retepariopportunita.it

Siti di associazioni che si occupano di antiviolenza

UDI - Unione Donne in Italia

È un'associazione di donne di promozione politica, sociale e culturale, senza fini di lucro. È presente e diffusa su tutto il territorio italiano fin dal 1944.

http://www.udinazionale.org/

Pangea Onlus

La Fondazione Pangea Onlus lavora per favorire condizioni di sviluppo economico e sociale delle donne e delle loro famiglie.

http://www.pangeaonlus.org/

Zeroviolenzadonne.it

Il portale pubblica gratuitamente ogni mattina una rassegna stampa di genere elaborata consultando tutte le testate nazionali.

http://www.zeroviolenzadonne.it/

Il Paese delle donne on line

L'associazione lavora da anni sui temi legati all'informazione con criteri e linguaggi di genere.

http://www.womenews.net

AIDOS - Associazione italiana donne per lo sviluppo

Organizzazione non governativa che dal 1981 lavora nei Paesi in via di sviluppo, in Italia e nelle sedi internazionali per costruire, promuovere e difendere i diritti, la dignità e la libertà di scelta di tutte le donne.

http://www.aidos.it/

Amnesty International

Nel 2004 ha lanciato la campagna *Mai più violenza sulle donne*. I temi principali della campagna sono violenza domestica, donne comprate e vendute, mutilazioni genitali femminili, violenza da parte di attori statali, scuole sicure: un diritto per tutte le bambine.

http://www.amnesty.it

Lavori in corsa: 30 anni CEDAW

È una piattaforma di organizzazioni e di singole persone impegnate nella promozione dei diritti delle donne in Italia e nel mondo. Come rete attiva per la promozione della Convenzione ONU come strumento di avanzamento della condizione delle donne in Italia e nel mondo.

http://lavorincorsa30annicedaw.blogspot.it/

Giuristi Democratici per la Cedaw

Un blog di giuristi che offre notizie su ogni forma di discriminazione basata sul genere.

http://gdcedaw.blogspot.it/

Gi.U.Li.A

La rete nazionale delle giornaliste unite libere autonome nasce in tempi di crisi grave del Paese e di attacco alla dignità della donna, ai diritti del lavoro e dell'informazione, è fra le promotrici della Convenzione NOMORE.

http://giulia.globalist.it/

Oxfam Italia

Lavora in Italia e in 20 altri Paesi del mondo per garantire mezzi di vita sostenibili e rispetto dei diritti umani. Con la sua iniziativa The Circle, nata grazie alla volontà di Annie Lennox, si occupa in particolare di realizzare progetti per le donne.

Per i siti europei e internazionali rimandiamo al sito del nostro progetto www.feriteamorte.it.

Per la legislazione italiana, europea e internazionale si può consultare www.irisagainstviolence.it

Fonti

IL FEMMINICIDIO

Rapporti, pubblicazioni, convenzioni

CEDAW, *Concluding observations of the Committee on the Elimination of Discrimination against Women - Republic of Italy*, 2011, www.ohchr.org

CHR, *Report of the Special Rapporteur on violence against women, its causes and consequences, Rashida Manjoo*, 2012 www.ohchr.org

CHR, *Report of the Special Rapporteur on violence against women, its causes and consequences, Rashida Manjoo, Addendum Mission to Italy*, 2012, www.ohchr.org

Geneva Declaration Secretariat, *Global Burden of Armed Violence 2011: Lethal Encounters*, Cambridge University Press, 2011, www.genevadeclaration.org

Convenzione NO MORE!, http://convenzioneantiviolenzanomore.blogspot.it

Geneva Declaration Secretariat, *Global Burden of Armed Violence 2011: Lethal Encounters*, Cambridge University Press, 2011, (cap. 5: *When the Victim is a Woman*), 2011, www.genevadeclaration.org

Hausmann Ricardo - Tyson Laura D. - Zahidi, Saadia, The Global Gender Gap Report 2012, World Economic Forum, 2012, www.weforum.org

ISTAT, Le molestie sessuali, Anni 2008-2009, 2010, www.istat.it

ISTAT, *La violenza e i maltrattamenti contro le donne dentro e fuori la famiglia*, 2006, www.istat.it

PATH, MRC, WHO, InterCambios, *Strengthening Understanding of Femicide: Using Research to galvanize action and accountability*, 2009, www.path.org

Russell Diana, *Femicide: Politicizing the Killing of Females*, relazione presentata al Meeting on Strengthening Understanding, Washington, 2008, www.igwg.org

UN Woman, *Inventory of United Nations system activities to prevent and eliminate violence against women*, 2012, www.un.org

Wave, *PROTECT- Identifying and Protecting High Risk Victims of Gender Based Violence - an Overview*, Vienna 2010, www.wave-network.org

DELITTI D'ONORE E VIOLENZA DI GENERE IN AFGHANISTAN E IN PAKISTAN

Rapporti, pubblicazioni, convenzioni

CHR, Report of the Special Rapporteur on violence against women, its causes and consequences, Rashida Manjoo, 2012, www.ohchr.org

Geneva Declaration Secretariat, *Global Burden of Armed Violence 2011: Lethal Encounters*, Cambridge University Press, 2011, (cap. 5: *When the Victim is a Woman*), www.genevadeclaration.org

Hasrat M.H., Pfefferle Alexandra, *Violence Against Women in Afghanistan* (Biannual report 1391), Afghanistan Independent Human Rights Commission, www.aihrc.org.af

UNAMA, *Still a Long Way to Go: Implementation of the Law on Elimination of Violence against Women in Afghanistan*, 2012, www.unama.unmissions.org

Siti e iniziative

ActionAid, www.actionaid.it

IL FEMMINICIDIO IN MESSICO E IN AMERICA LATINA

Rapporti, pubblicazioni, convenzioni

CHR, Report of the Special Rapporteur on violence against women, its causes and consequences, Rashida Manjoo, 2012, www.ohchr.org

CHR, Integration of the Human Rights of Women and a Gender Perspective: Violence Against Women Report of The Special Rapporteur on Violence Against Women, its causes and consequences, Yakin Ertürk, Addendum Mission to Mexico, 2006, www.ohchr.org

CHR, Report on Mexico produced by the Committee on the Elimination of Discrimination against Women under article 8 of the Optional Protocol to the Convention, and reply from the Government of Mexico, 2005, www.ohchr.org

Amnesty International, Rapporto annuale 2007, EGA Editore, Torino, 2007

Libri

Las muertas de Juárez, de Víctor Ronquillo México: Planeta, 1999

Bowden Charles, *Juárez: The Laboratory of Our Future*, Aperture, 1998

González Rodríguez Sergio, *Ossa nel deserto*, traduzione di Gina Maneri e Andrea Mazza, Adelphi Milano, 2006

Spinelli Barbara, *Femminicidio: dalla denuncia sociale al riconoscimento giuridico internazionale*, Franco Angeli, Milano, 2008

Siti e iniziative

Campagna *Non una di più*, www.comune.torino.it/nonunadipiu/

Mira Juarez - Osservatorio internazionale sui femminicidi a Ciudad Juárez, www.mirajuarez.org

Nuestras Hijas de Regreso a Casa, www.mujeresdejuarez.org

Film e documentari

Bordertown, film del 2006 scritto e diretto da Gregory Nava e interpretato da Jennifer Lopez, Antonio Banderas e Martin Sheen

Señorita extraviada, documentario del 2001 di Lourdes Portillo

Bajo Juárez. La ciudad devorando a sus hijas (Bajo Juárez. La città che divora le sue figlie) di Alejandra Sánchez Orozco e José Antonio Corsero (2007)

16 en la lista, un film Rodolfo Rodobertti del 2004

Sulla poetessa Susana Chávez

Susana Chavez: Prima vittima di femminicidio a Ciudad Juárez del 2011 di Sanjuana Martínez (traduzione di Clara Ferri), www.globalproject.info

Cimac Noticias, spazio di informazione messicano specializzato in tematiche di genere, www.cimacnoticias.com.mx

Il blog Primiera tormenta, www.primeratormenta.blogspot.it

La rivista letteraria Sagarana, www.sagarana.net

LA VIA DELL'AIDS

Rapporti, pubblicazioni, convenzioni, articoli

Médecins sans frontières, *Progress under threat - Perspectives on the HIV treatment gap*, 2012

UNAIDS, *World AIDS Day Report*, 2012, www.unaids.org

UNAIDS, *Women out loud: How women living with HIV will help the world end AIDS*, 2012, www.unaids.org

UNFPA, *The Gender Dimensions of the AIDS Epidemic*, www.unfpa.org

WHO, *HIV in the WHO African Region: progress towards achieving universal access to priority health sector interventions*, WHO Regional Office for Africa, 2011, www.afro.who.int

SCHIAVE GLOBALI

Rapporti, pubblicazioni, convenzioni, articoli

DeParle Jason, Domestic Workers Convention May Be Landmark, «The New York Times», 8 ottobre 2011, www.nytimes.com

Human Rights Watch, Jordan: Domestic Worker Proyections Ineffective, 27 settembre 2011, www.hrw.org

ILO, Gender and Migration in the Arab States: the Case of Domestic Workers, Regional Office for Arab States, Beirut, Beirut, 2004

Ituc, The Persian Gulf: a dark zone for migrants' rights, in From Bahrain to Malaysia: Mobilising to Defrebd Migrants' Rights, «Union View, ITUC», 2011

UN News Centre, 'Encouraging' changes under way in Persian Gulf countries, says UN rights chief, 19 aprile 2010, www.un.org

The World Bank, The migration and Remittances Factbook, Washington, 2011

Libri

Erhenreich Barbara - Russell Hochschild Arlie Donne globali, Feltrinelli, Milano, 2004

Longhi Vittorio, La rivolta dei migranti, :duepunti edizioni, Palermo, 2012

INFANZIA RUBATA

Rapporti, pubblicazioni, convenzioni, articoli

ActionAid, *A Dangerous Drug at Work in Bangladeshi Brothels*, 5 aprile 2010, www.actionaid.org.uk

Andrew Biraj, Bangladesh's "*Teenage" Brothels Hold Dark Steroid Secret*, «Reuters», 19 marzo 2012, www.reuters.com

Mark Dummett, *Bangladesh's Dark Brothel Steroid Secret*, 30 maggio 2010, «BBC News», www.bbc.co.uk

ECPAT International, *Combating Child Sex Tourism*, 2008, www.ecpat.net

ECPAT Italia, *Prostituzione minorile* (temi di intervento), www.ecpat.it

Ettore Mo, *Gonfiate con le pillole per le mucche a 11 anni Le schiave del sesso in Bangladesh*, «Corriere della Sera», 19 agosto 2012, www.corriere.it

La condizione delle bambine e delle ragazze nel mondo, a cura di Indifesa e Terres des Hommes, www.indifesa.org

Francesco Carchedi, Vittoria Tola (a cura di), *All'aperto e al chiuso. Prostituzione e tratta: i nuovi dati del fenomeno, i servizi sociali, le normative di riferimento*, Ediesse, Roma, 2008

LA VIOLENZA DOMESTICA IN GIAPPONE

Rapporti, pubblicazioni, convenzioni, articoli

CEDAW, *Committee on the Elimination of Discrimination against Women 44th session* (20 luglio - 7 agosto 2009), www.ohchr.org

Diamond Milton - Uchiyama Ayako, Pornography, Rape and Sex Crimes in Japan, «International Journal of Law and Psychiatry» 22(1): 1-22. 1999

Equality Now, Information on Japan for consideration in the Committee on the Elimination of Discrimination against Women, 44th Session, 2009, www.ohchr.org

Gender Equality Bureau of Japan, *Stop the violence, Committee on the Elimination of Discrimination against Women*, 44th session (20 luglio - 7 agosto 2009), www.gender.go.jp

Hausmann Ricardo - Tyson Laura D. - Zahidi, Saadia, The Global Gender Gap Report 2012, World Economic Forum, 2012, www.weforum.org

ILO, Human Trafficking for Sexual Exploitation in Japan, 2005, www.ilo.org

UNODC, Global Study on Homicide, 2011, www.unodc.org

MORTE A CAUSA DELLA DOTE NEI PAESI DELL'ASIA DEL SUD

Rapporti, pubblicazioni, convenzioni, articoli

CHR, Report of the Special Rapporteur on violence against women, its causes and consequences, Rashida Manjoo, 2012, www.ohchr.org

Geneva Declaration Secretariat, *Global Burden of Armed Violence 2011: Lethal Encounters*, Cambridge University Press, 2011, (cap. 5: *When the Victim is a Woman*), 2011, www.genevadeclaration.org

Kishwar Madhu Purnima, Strategies for Combating the Culture of Dowry and Domestic Violence in India, UN Division for the Advancement of Women, Expert Group Meeting Violence against *women: Good practices in combating and eliminating violence against women*, Vienna, 2005, www.un.org

Shiva Vandana, *The Connection Between Global Economic Policy and Violence Against Women*, 3 gennaio 2013, www.zeroviolenzadonne.it

Basu Amritapa, *Dowry Deaths In India: The Story Of The Powerless*, «Youth Ki Avaaz», 15 marzo 2011, www.youthkiawaaz.com

Ash Lucy, India's dowry deaths, BBC News, 16 luglio 2003, www.news.bbc.co.uk

DIRITTI CIVILI E VIOLENZA CONTRO LE DONNE NEI TERRITORI PALESTINESI

Rapporti, pubblicazioni, convenzioni, articoli

Dano Ika, *Donne palestinesi, per loro divorziare sarà più facile*, «Nena News», 31 agosto 2012, www.nena-news.globalist.it

Hadid Diaa, *Palestinians chip away at male divorce monopoly*, Report di AP Associated Press, 31 agosto 2012, www.bigstory.ap.org

Malesani Gianna, *Nancy Zaboun sgozzata dal marito per aver chiesto il divorzio*, «Corsera Magazine», 25 novembre 2012, www.corsera.it

Mammari Dalia, *Palestinian women outraged by marketplace killing*, «the guardian», 1 agosto 2012, www.guardian.co.uk

Palestinians protest murder of battered wife, «Aljazeera», 1 agosto 2012, www.aljazeera.com

Scuto Fabio, *Io divorzio da sola*, «D», 20 ottobre 2012, www.repubblica.it

Siti

The Women's Centre for Legal Aid and Counselling (WCLAC), www.wclac.org

Global Justice Initiative, www.globaljusticeinitiative.wordpress.com

LE MUTILAZIONI GENITALI FEMMINILI

Rapporti, pubblicazioni, convenzioni, articoli

CEDAW, *Convention on the Elimination of All Forms of Discrimination against Women*, 1979, www.ohchr.org

Dipartimento per la Pari Opportunità - 800 300 558 - Contro le Mutilazioni Genitali Femminili, www.pariopportunita.gov.it

Istituto Piepoli, *Valutazione quantitativa e qualitativa del fenomeno delle mutilazioni genitali in Italia*, 2009, www.pariopportunita.gov.it

Legge 9 gennaio 2006, n. 7, *Disposizioni concernenti la prevenzione e il divieto delle pratiche di mutilazione genitale femminile*

UNICEF Innocenti Research Center, *Changing a Harmful Social Convention: Female GenitalMutilation/Cutting*, Innocenti Digest 12, Firenze, 2005

United Nations, *Declaration on the Elimination of Violence against Women*, 1983, www.un.org

United Nations, *Report of the Fourth World Conference on Women*, Beijing, China, 4-15 September 1995, www.un.org

WHO/UNICEF/UNFPA *Female genital mutilation. A joint WHO/UNICEF/UNFPA statement*, World Health Organization, 1997, Geneva

WHO, *A systematic review of the health complications of female genital mutilation including sequelae in childbirth*, World Health Organization, 2000, Geneva.

Libri

Koita Khady, *Mutilata. Vittima di un rituale crudele*, Cairo Publishing, Milano, 2006

Waris Dirie - Miller Cathleen, *Fiore del deserto. Storia di una donna*, Garzanti, Milano, 2000

Siti e campagne

Campagna *END FGM*, www.endfgm.eu

Campagna *Non c'è pace senza giustizia*, www.noncepacesenzagiustizia.org

Euronet-FGM (European network for the prevention and eradication of harmful traditional practices), www.euronet-fgm.org

LA CONDIZIONE DELLE DONNE NELLA FEDERAZIONE RUSSA

Rapporti, pubblicazioni, convenzioni, articoli

ABA CEELI, *CEDAW Assessment tool report for the Russian Federation*, 2006 www.americanbar.org

ANNA National Centre for the Prevention of Violence, *Violence against women in the Russian Federation*, 2010, www.ohchr.org

CHR, *Integration of the Human Rights of Women and a Gender Perspective: Violence Against Women Report of The Special Rapporteur on Violence Against Women, its causes and consequences, Yakin Ertürk*, Addendum Mission to Mexico, 2006, www.ohchr.org

CHR, *Consideration of reports submitted by States parties, Convention on the Elimination of All Forms of Discrimination against Women, Russian Federation*, 2009, www.ohchr.org

COE, *Measures to prevent commercial sexual exploitation of children in the Russian Federation*, www.coe.it

The Protection Project, *A Human Rights Report on Trafficking in Persons, Especially Women and Children*, 2010, www.protectionproject.org

UNFPA, *Domestic Violence in the Russian Federation: Ending the Silence*, www.unfpa.org

Intervista a Marina Pisklakova, http://blogs.nysut.org/sttp/

INFANTICIDIO FEMMINILE

Rapporti, pubblicazioni, convenzioni, articoli

Bunting Madeleine, *India's missing women*, «The Guardian», 22 luglio 2001, www.guardian.co.uk

CHR, Report of the Special Rapporteur on violence against women, its causes and consequences, Rashida Manjoo, 2012 www.ohchr.org

Guilmoto Christophe Z., *Sex Imbalances at Birth Current trends: Consequences and policy implications*, UNFPA Asia and Pacific Regional Office, 2012

Sen Amartya, *More Than 100 Million Women Are Missing*, The New York Review of Books, vol. 37, n. 20, 20 dicembre 1990

UNFPA, *Sex ratio imbalance*, www.unfpa.org

WHO, *Preventing gender-biased sex selection: an interagency statement*, OHCHR, UNFPA, UNICEF, UN Women and WHO, 2011

Siti

Genedercide Watch, www.gendercide.org

50 Million Missing Campaign, http://genderbytes.wordpress.com/

LA TRATTA DI PERSONE A SCOPO DI SFRUTTAMENTO SESSUALE

Rapporti, pubblicazioni, convenzioni, articoli

Belser Patrick, *Forced Labor and Human Trafficking: Estimating the Profits*, Cornell University ILR School, 2005 http://digitalcommons.ilr.cornell.edu/forcedlabor

Carchedi Francesco, Orfano Isabella (a cura di), *La tratta di persone in Italia*, Vol.1. *Le evoluzioni del fenomeno e gli ambiti di sfruttamento*, realizzato nell'ambito del progetto Equal Osservatorio e Centro Risorse sulla Tratta di Esseri Umani, Collana On the Road, sezione Osservatorio Tratta, Franco Angeli, Milano, 2007, www.ontheroadonlus.it

COE, *Convenzione del Consiglio d'Europa sulla lotta contro la tratta di esseri umani e relazione esplicativa Varsavia*, 16.v.2005, www.coe.int

Haken Jeremy (ILO), *Transnational Crime In The Developing World*, Global Financial Integrity, 2011

UNICRI, Parsec, Cooperazione italiana, *La tratta delle minorenni nigeriane in Italia. I dati, i racconti, i servizi sociali*, Roma, 2010, www.unicri.it

UNODOC, *Global Report on Trafficking in Persons*, 2012 www.unodc.orgUnited Nations Interregional Crime and Justice Research Institute - Trattati, www.unodc.org

Special Rapporteur on Trafficking in Persons, especially Women and Children, Report of the Special Rapporteur on Trafficking in Persons, especially Women and Children, E/CN.4/2005/71, 22 dicembre 2004

Transcrime, *Tratta di persone a scopo di sfruttamento e traffico di migranti*, Transcrime Report n. 7, Trento, 2004

Siti

ONT - Osservatorio Nazionale Tratta - Dipartimento delle Pari Opportunità http://www.osservatorionazionaletratta.it/

Ringraziamenti

Grazie a:

la rete D.i.Re dei centri antiviolenza;
le Onde Onlus di Palermo;
Vittoria Tola dell'UDI;
Emma Bonino, madrina d'eccezione;
Angela Lombardo e alle nostre «divanate»;
Daria, Catia, Andrea, Simone, Lucia, Silvia, Marianna, Chiara: dream team «Punti e virgole Rizzoli»;
Massimo Turchetta e Luca Ussia, spingitori di cavalieri (e di dame);
Luca e Marco, i mismaondi che hanno avuto fiducia;
Francesca, Carmen, Olga, Cristina, Giulia, Mikkel, talentuosi angeli custodi di Ferite a morte;
Luca De Gennaro, Ivan Cotroneo, Fabio De Luca, che hanno regalato un'anima musicale al progetto;
Monica Fantini e Rita Finzi, due forze della natura;
Marina Forni e Marisa De Rosa, essenziali complici bolognesi;
al prof. Marco Cammelli e a tutte le sue sorelle;
Linda Laura per l'entusiasmo;
alla campagna pubblicitaria «La violenza ha mille volti»;
Giancarlo Neri, il nostro suggeritore di titoli;
Adele Tulli, la nostra ghost editor.

Un ringraziamento particolare a tutte le amiche che sono venute a leggere *Ferite a morte.*

Senza il loro apporto prezioso il nostro lavoro non avrebbe mai avuto questa forza. Siamo riusciti a farci conoscere grazie al loro talento, tutte hanno risposto all'appello con entusiasmo e si sono messe a disposizione con generosità. Tutte hanno regalato qualcosa di personale a questo progetto e l'hanno reso più prezioso, grazie a loro dalla prima sera è avvenuto uno strano incantesimo nei teatri dove siamo andate. L'incantesimo della comunicazione, diretta, forte, a volte molto dura, quasi insopportabile, altre volte leggera come le ali delle farfalle dei quadri di Rossella Fumasoni che hanno accompagnato con la loro bellezza le nostre letture e questo libro.

Grazie a tutte loro e a tutte quelle che verranno, perché ormai questo treno non accenna a fermarsi, teneteci d'occhio.

Indice

Finito di stampare nel mese di febbraio 2013
presso Grafica Veneta - Trebaseleghe, Padova

Printed in Italy

DD 0122089064
FERITE A MORT
E
DANDINI SEREN
RIZZOLI
RCS LIBRI